A-Z CHEL

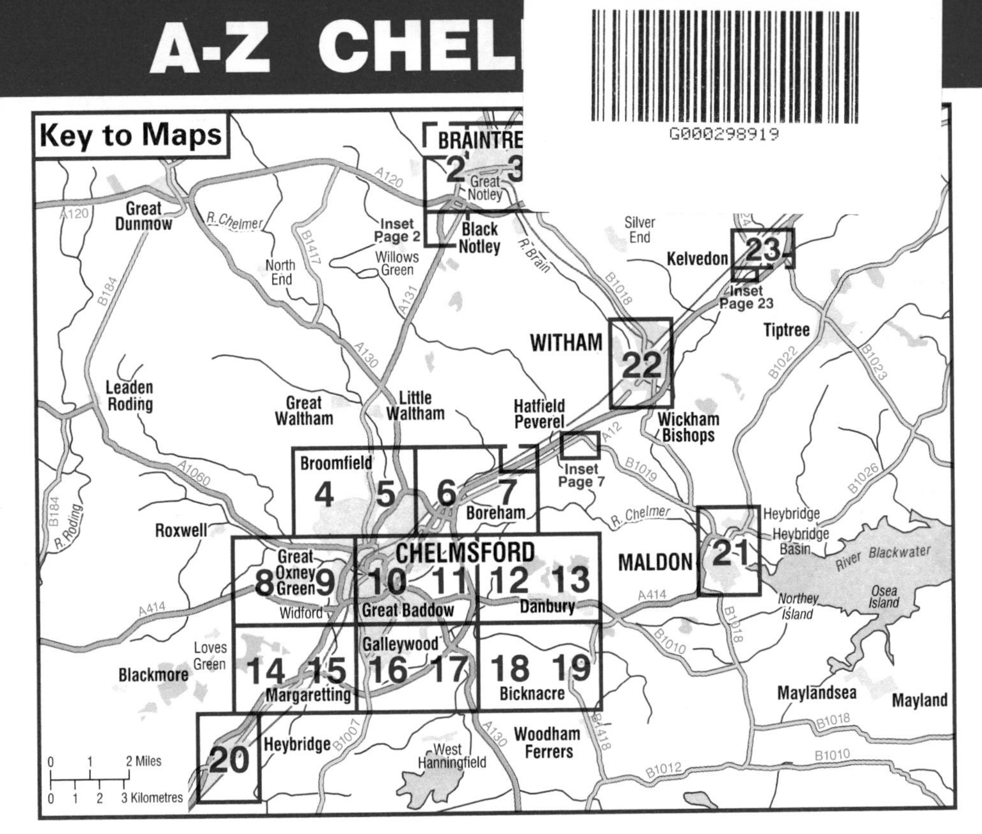

Key to Maps

Reference

A Road	A12
Proposed	
B Road	B1008
Dual Carriageway	
One Way Street Traffic flow on A roads is indicated by a heavy line on the drivers' left.	
Restricted Access	
Pedestrianized Road	
Track & Footpath	
Residential Walkway	
Railway Level Crossing Station	
Built Up Area	

Local Authority Boundary	
Postcode Boundary	
Map Continuation	10
Car Park Selected	P
Church or Chapel	†
Cycle Route Selected	
Fire Station	■
Hospital	H
Information Centre	i
National Grid Reference	570
Police Station	▲
Post Office	★

Toilet with facilities for the Disabled	▽
Educational Establishment	
Hospital or Health Centre	
Industrial Building	
Leisure or Recreational Facility	
Place of Interest	
Public Building	
Shopping Centre or Market	
Other Selected Buildings	

Scale 1:19,000

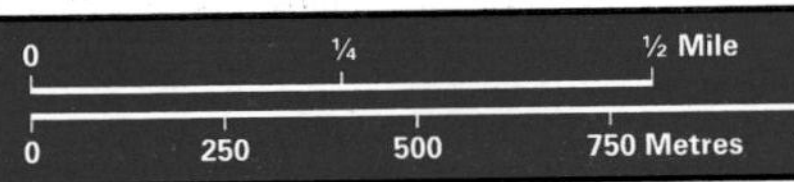

3⅓ inches (8.47 cm) to 1 mile
5.26 cm to 1 kilometre

Geographers' A-Z Map Company Limited

Head Office :
Fairfield Road, Borough Green, Sevenoaks, Kent TN15 8PP
Tel: 01732 781000

Showrooms :
44 Gray's Inn Road, London WC1X 8HX
Tel: 020 7440 9500

Based upon the Ordnance Survey mapping with the permission of the Controller of Her Majesty's Stationery Office.

© Crown Copyright (399000)

EDITION 1 1999
Copyright © Geographers' A-Z Map Co. Ltd. 1999

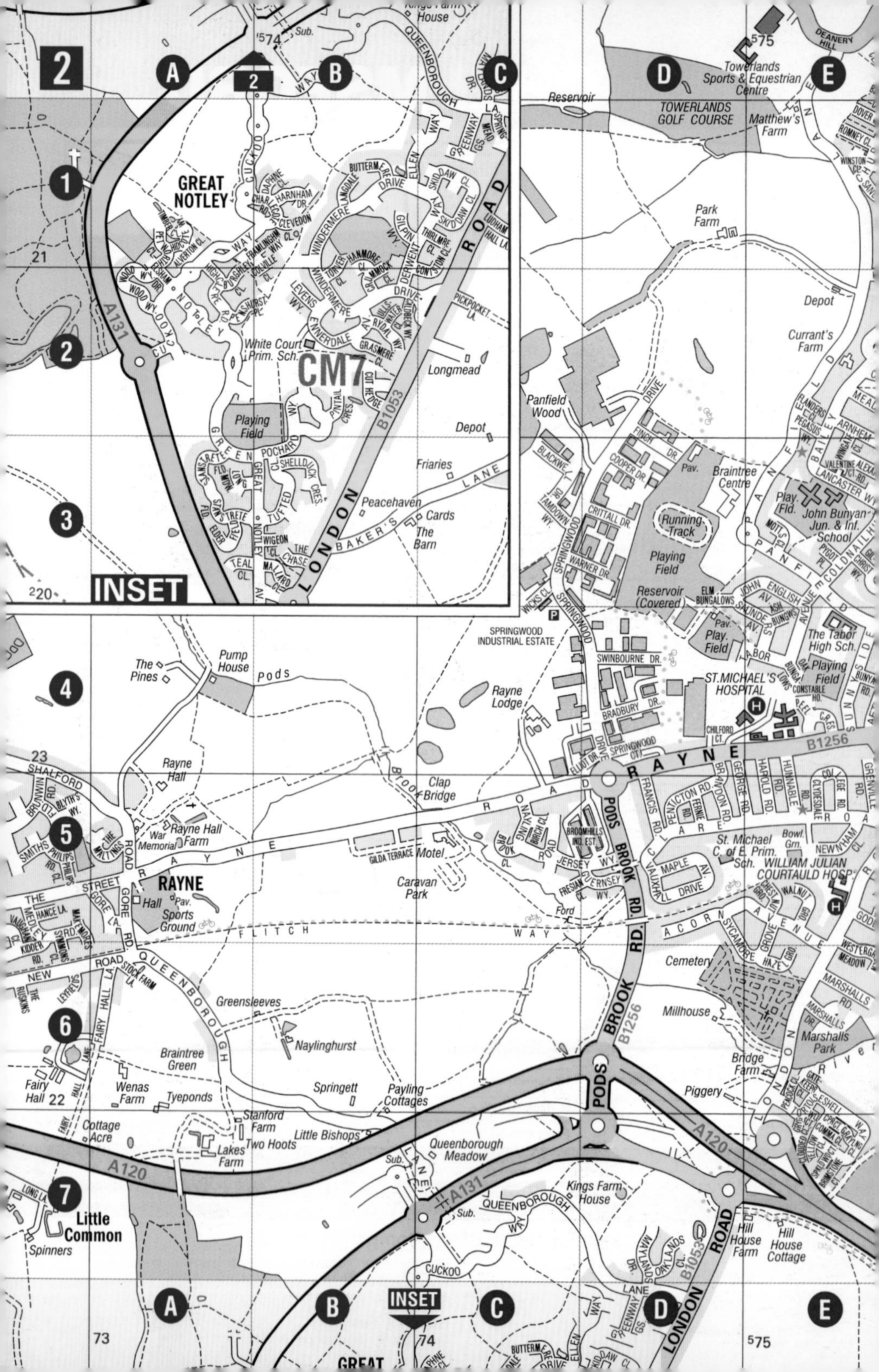

2
INSET
GREAT NOTLEY
CM7
White Court Prim. Sch.
Playing Field
Longmead
Depot
Friaries
Peacehaven
Cards
The Barn
LONDON ROAD
B1053
A131
Reservoir
TOWERLANDS GOLF COURSE
Towerlands Sports & Equestrian Centre
Matthew's Farm
Park Farm
Depot
Currant's Farm
Panfield Wood
Braintree Centre
Running Track
Playing Field
Reservoir (Covered)
John Bunyan Jun. & Inf. School
The Tabor High Sch.
ST. MICHAEL'S HOSPITAL
SPRINGWOOD INDUSTRIAL ESTATE
The Pines
Pump House
Rayne Lodge
Rayne Hall
Clap Bridge
Rayne Hall Farm
War Memorial
Motel
Caravan Park
RAYNE
RAYNE ROAD
B1256
Sports Ground
FLITCH WAY
St. Michael C. of E. Prim. Sch.
WILLIAM JULIAN COURTAULD HOSP.
Cemetery
Millhouse
Marshalls Park
Greensleeves
Naylinghurst
Braintree Green
Fairy Hall
Wenas Farm
Tyeponds
Springett
Payling Cottages
Cottage Acre
Stanford Farm
Little Bishops
Two Hoots
Lakes Farm
Queenborough Meadow
Bridge Farm
Piggery
A120
PODS BROOK RD.
Kings Farm House
Hill House Farm
Hill House Cottage
Little Common
Spinners
QUEENBOROUGH
LONDON ROAD
73
74
575

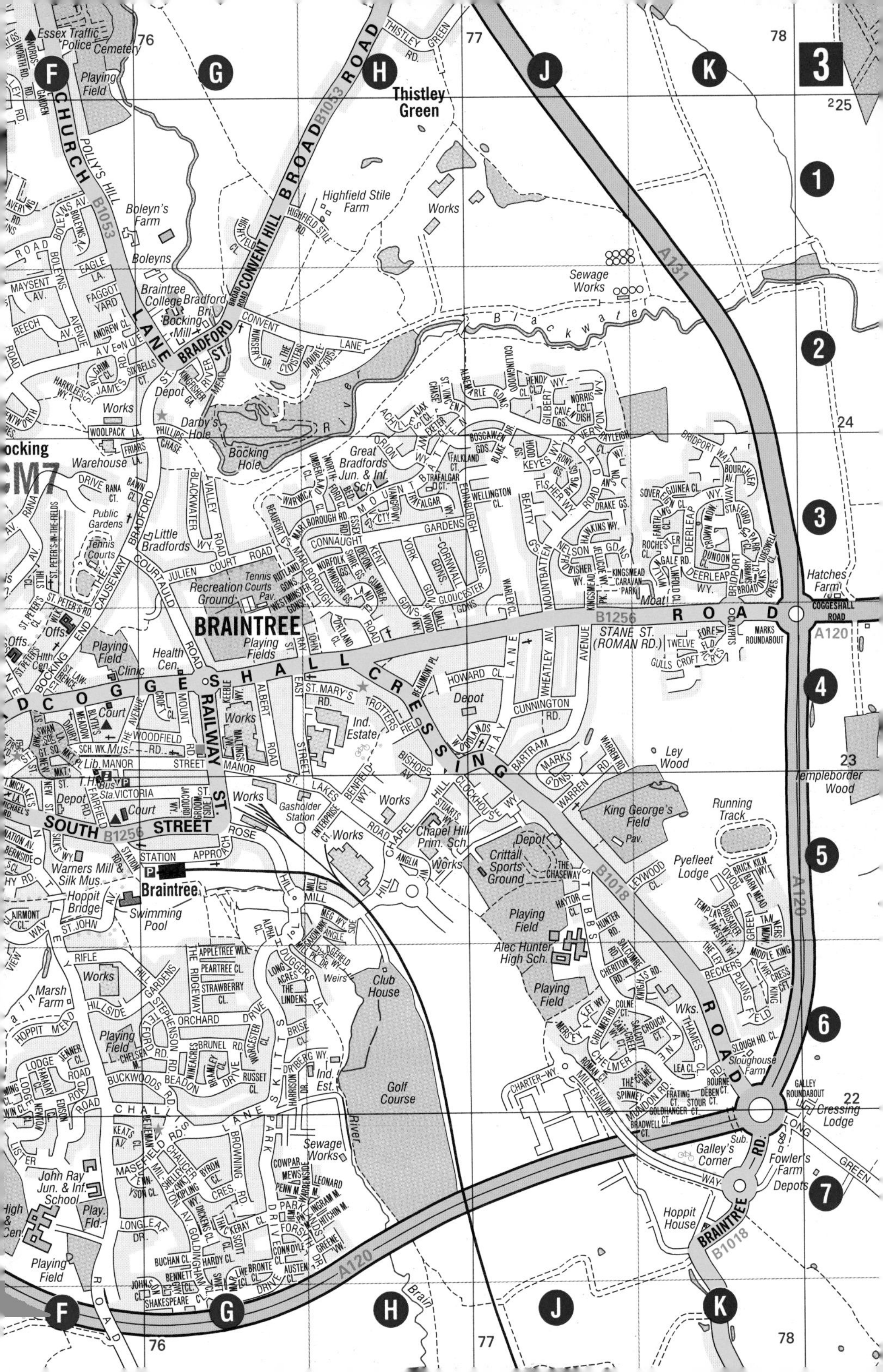
76
77
78
F
G
H
J
K
1
2
3
4
5
6
7
25
24
23
22
Essex Traffic Police
Cemetery
Playing Field
THISTLEY GREEN RD.
Thistley Green
BROAD ROAD
B1053
CONVENT HILL
CHURCH LANE
POLLY'S HILL
Highfield Stile Farm
HIGHFIELD STILE RD.
Works
Boleyn's Farm
Boleyns
Braintree College
Bradford Bri.
Bocking Mill
BRADFORD ST.
RIVER ST.
CONVENT LANE
Sewage Works
Blackwater
River
A131
Darby's Hole
Bocking Hole
Depot
Bocking
CM7
Warehouse
Public Gardens
Tennis Courts
Little Bradfords
Great Bradfords Jun. & Inf. Sch.
MOUNT BATTEN
JULIEN COURT ROAD
Recreation Ground
Tennis Courts Pav.
BRAINTREE
Playing Fields
Health Cen.
Playing Field
Clinic
COGGESHALL ROAD
B1256
STANE ST. (ROMAN RD.)
Moat
Hatches Farm
MARKS ROUNDABOUT
A120
KINGSMEAD CARAVAN PARK
CRESSING ROAD
Court
Mus.
Lib.
T.H.
MANOR STREET
RAILWAY ST.
Works
Ind. Estate
Depot
Ley Wood
Templeborder Wood
King George's Field
Pav.
Running Track
SOUTH STREET
Gasholder Station
Works
Chapel Hill Prim. Sch.
Crittall Sports Ground
Pyefleet Lodge
Warners Mill & Silk Mus.
Braintree
Hoppit Bridge
Swimming Pool
Playing Field
Alec Hunter High Sch.
Playing Field
Wks.
Club House
Weirs
Marsh Farm
Playing Field
Golf Course
Ind. Est.
B1018
Sloughhouse Farm
GALLEY ROUNDABOUT
Cressing Lodge
Sewage Works
River
Galley's Corner
Fowler's Farm
Depots
John Ray Jun. & Inf. School
Play. Fld.
Hoppit House
BRAINTREE RD.
Playing Field
Brain
LONG GREEN

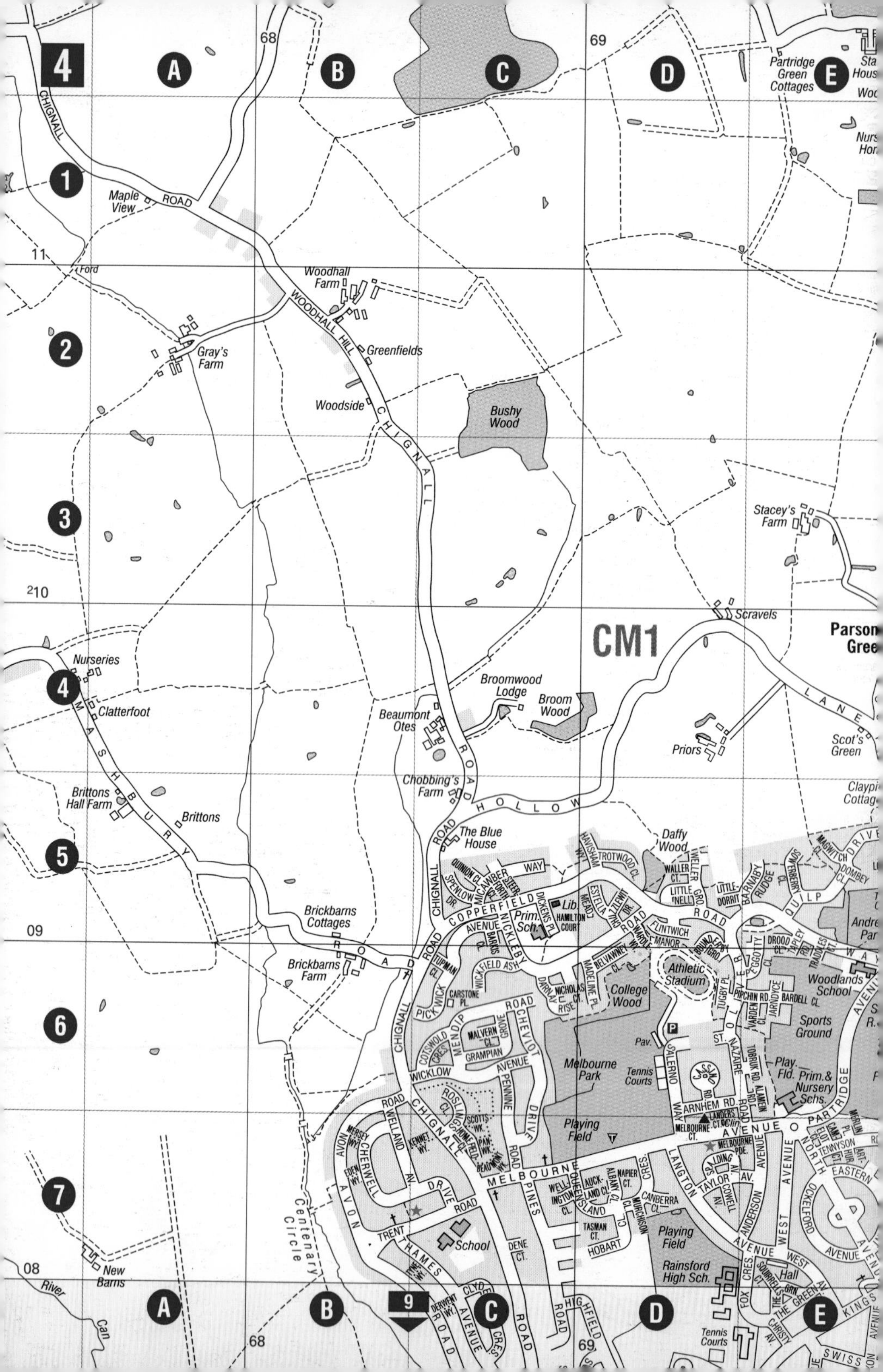
4
A
B
C
D
E
68
69
11
210
09
08
1
2
3
4
5
6
7
Partridge Green Cottages
CHIGNALL ROAD
Maple View
Ford
Woodhall Farm
WOODHALL HILL
Gray's Farm
Greenfields
Woodside
Bushy Wood
CHIGNALL
Stacey's Farm
Scravels
CM1
Parson
Gree
Nurseries
Clatterfoot
MASHBURY
Broomwood Lodge
Broom Wood
Beaumont Otes
LANE
Scot's Green
Priors
Chobbing's Farm
ROAD
HOLLOW
Brittons Hall Farm
Brittons
The Blue House
Daffy Wood
Brickbarns Cottages
ROAD
Brickbarns Farm
COPPERFIELD
Lib.
Prim. Sch.
Athletic Stadium
College Wood
Woodlands School
Sports Ground
Melbourne Park
Tennis Courts
Pav.
Play. Fld.
Prim.& Nursery Schs.
Playing Field
MELBOURNE
AVENUE
PARTRIDGE
WICKLOW
PENNINE
DRIVE
CHEVIOT
GRAMPIAN
MENDIP
MALVERN CL.
School
Centenary Circle
AVON
TRENT
THAMES
CHERWELL
WELLAND
DRIVE
Playing Field
Rainsford High Sch.
Hall
Tennis Courts
LANGTON
ANDERSON
WEST AVENUE
TAYLOR AV.
CANBERRA CL.
TASMAN CT.
HOBART
PINES
DENE CT.
New Barns
River Can
9
CLYDE
DERWENT WY.
ROAD
AVENUE
HIGHFIELD
SWISS
FOX CRES.
THE GREEN
CHRISTY AV.
KINGS
OCKELFORD
EASTERN
TENNYSON
NORTH AVENUE
ST. NAZAIRE
SALERNO WAY
ARNHEM RD.
ALAMEIN
TOBRUK RD.
MELBOURNE CT.
MELBOURNE PDE.
QUILP
DOMBEY
DRIVE
MAGWITCH CL.
ROAD
FLINTWICH
MANOR
PIPCHIN RD.
BARDELL CL.
JARNDYCE
VARDEN CL.
TRADDLES CT.
TAPLEY RD.
DROOD CL.
WAY
BARNABY RUDGE
LITTLE DORRIT
WELLER GRO.
WALLER CT.
LITTLE NELL
TROTWOOD CL.
HAVISHAM WY.
QUINION CL.
SPENLOW DR.
MICAWBER WY.
STEERFORTH
NICKLEBY
DICKENS PL.
HAMILTON COURT
ESTELLA
MEAD
TUPMAN CL.
PICKWICK
CARSTONE PL.
WICKFIELD ASH
BARKIS CL.
DARNAY RISE
NICHOLAS CT.
MADELINE PL.
BELVAWNEY CL.
COTSWOLD CRES.
ROSLINGS CL.
SCOTTS WK.
HOMEFIELD
PAN WK.
BEAUMONT WK.
KENNET WY.
MERSEY WY.
EDEN WY.
WELL-INGTON CL.
QUEENSLAND
AUCK-LAND CL.
ALBANY CL.
NAPIER CT.
MURCHISON CL.
CRES.

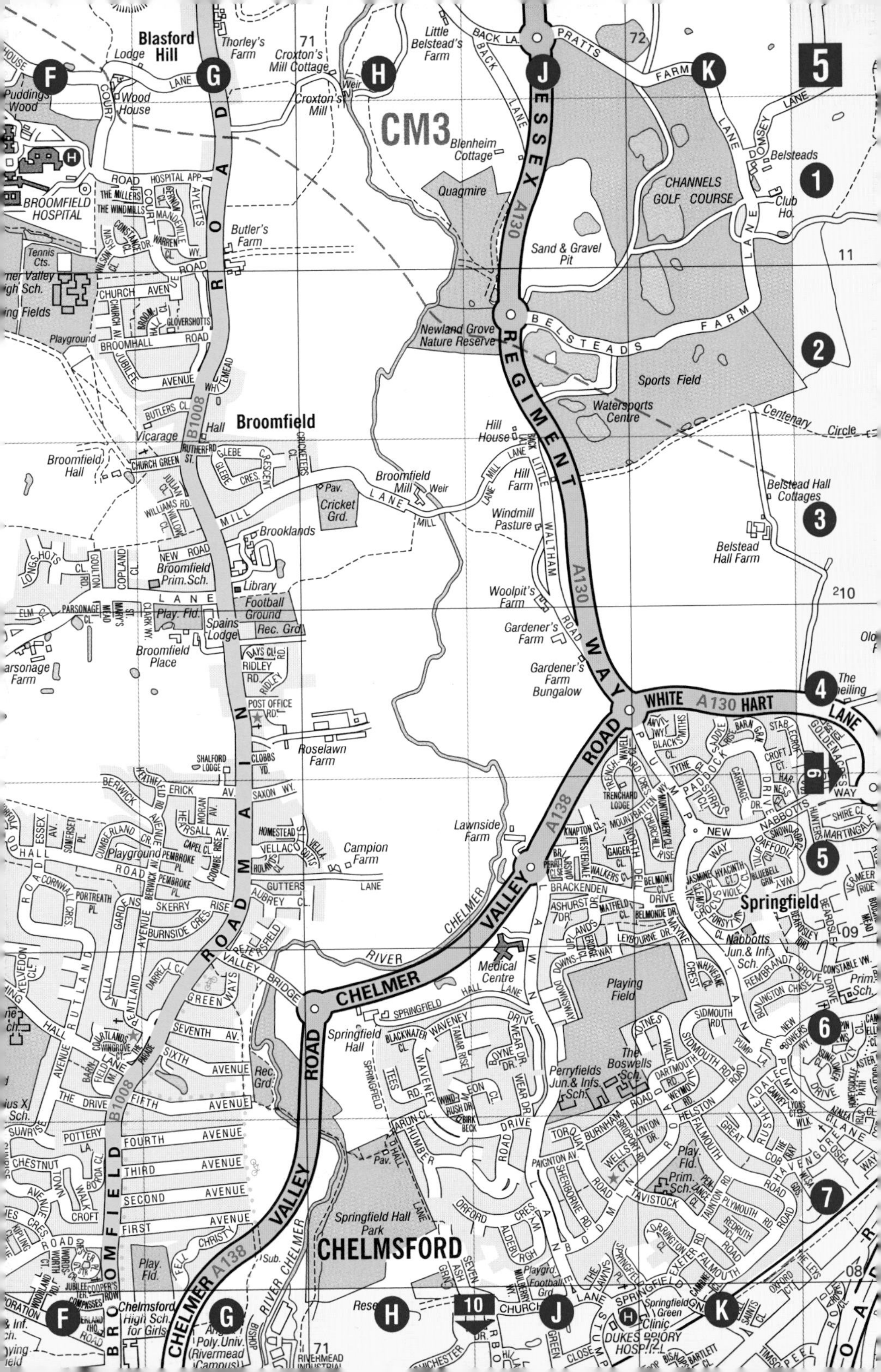
5
Blasford Hill
Thorley's Farm
Croxton's Mill Cottage
Little Belstead's Farm
Croxton's Mill
CM3
Blenheim Cottage
Puddings Wood
Wood House
BROOMFIELD HOSPITAL
Quagmire
CHANNELS GOLF COURSE
Belsteads
Club Ho.
Butler's Farm
Sand & Gravel Pit
ESSEX REGIMENT WAY
A130
Newland Grove Nature Reserve
BELSTEADS FARM
Sports Field
Watersports Centre
Centenary Circle
Broomfield
Broomfield Hall
Vicarage
Hall
Hill House
Hill Farm
Belstead Hall Cottages
Broomfield Mill
Weir
Cricket Grd.
Windmill Pasture
Belstead Hall Farm
Brooklands
Broomfield Prim.Sch.
Library
Football Ground
Rec. Grd.
Play. Fld.
Spains Lodge
Woolpit's Farm
Gardener's Farm
Gardener's Farm Bungalow
Broomfield Place
Parsonage Farm
Roselawn Farm
WHITE HART LANE
A130
MAIN ROAD
A138
Lawnside Farm
Campion Farm
Playground
Springfield
Nabbotts Jun.& Inf. Sch.
RIVER CHELMER
CHELMER VALLEY ROAD
Medical Centre
Playing Field
Springfield Hall
The Boswells Sch.
Perryfields Jun.& Infs. Sch.
Rec. Grd.
B1008
BROOMFIELD ROAD
Springfield Hall Park
CHELMSFORD
Play. Fld.
Prim. Sch.
Chelmsford High Sch. for Girls
Springfield Green
Clinic
DUKES PRIORY HOSP.
10
9
F G H J K
1 2 3 4 5 6 7
71 72
11 10 09 08

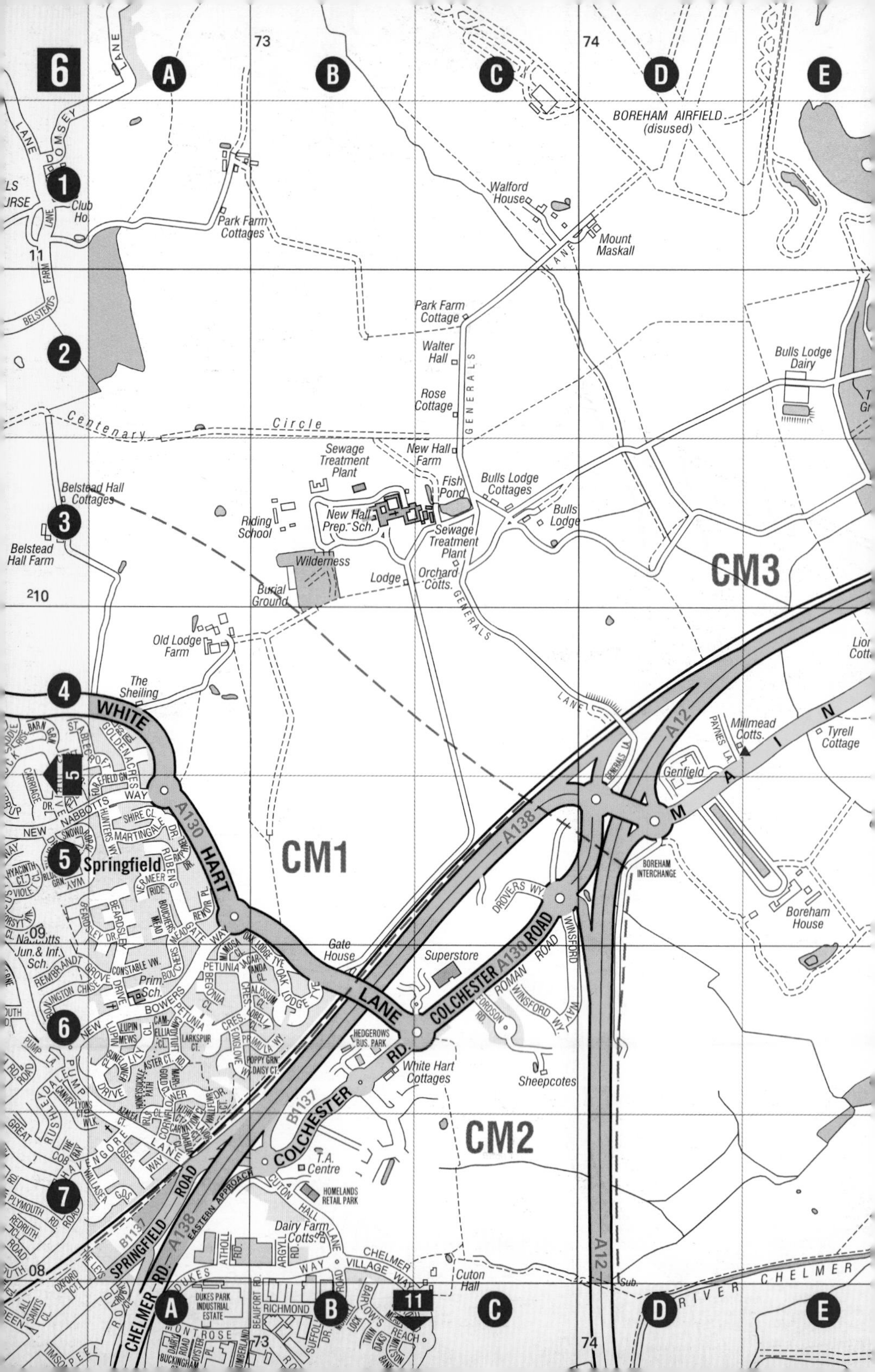

6
A
B
C
D
E
73
74
BOREHAM AIRFIELD (disused)
Walford House
Mount Maskall
Park Farm Cottages
Club Ho.
Park Farm Cottage
Walter Hall
Rose Cottage
New Hall Farm
Bulls Lodge Dairy
Centenary Circle
Sewage Treatment Plant
Fish Pond
Bulls Lodge Cottages
Bulls Lodge
Belstead Hall Cottages
Belstead Hall Farm
Riding School
New Hall Prep. Sch.
Wilderness
Burial Ground
Lodge
Orchard Cotts.
CM3
Old Lodge Farm
The Sheiling
WHITE HART LANE
GENERALS LANE
Millmead Cotts.
Tyrell Cottage
Genfield
MAIN
A12
A138
A130
CM1
Springfield
BOREHAM INTERCHANGE
Boreham House
Superstore
Gate House
COLCHESTER ROAD
ROMAN ROAD
WINSFORD WAY
DROVERS WY.
HEDGEROWS BUS. PARK
White Hart Cottages
Sheepcotes
CM2
B1137
T.A. Centre
HOMELANDS RETAIL PARK
EASTERN APPROACH
SPRINGFIELD ROAD
CHELMER RD.
Dairy Farm Cotts.
CUTON HALL LANE
CHELMER VILLAGE WAY
Cuton Hall
Sub.
RIVER CHELMER
DUKES PARK INDUSTRIAL ESTATE
RICHMOND
MONTROSE
11
5
210
09
08

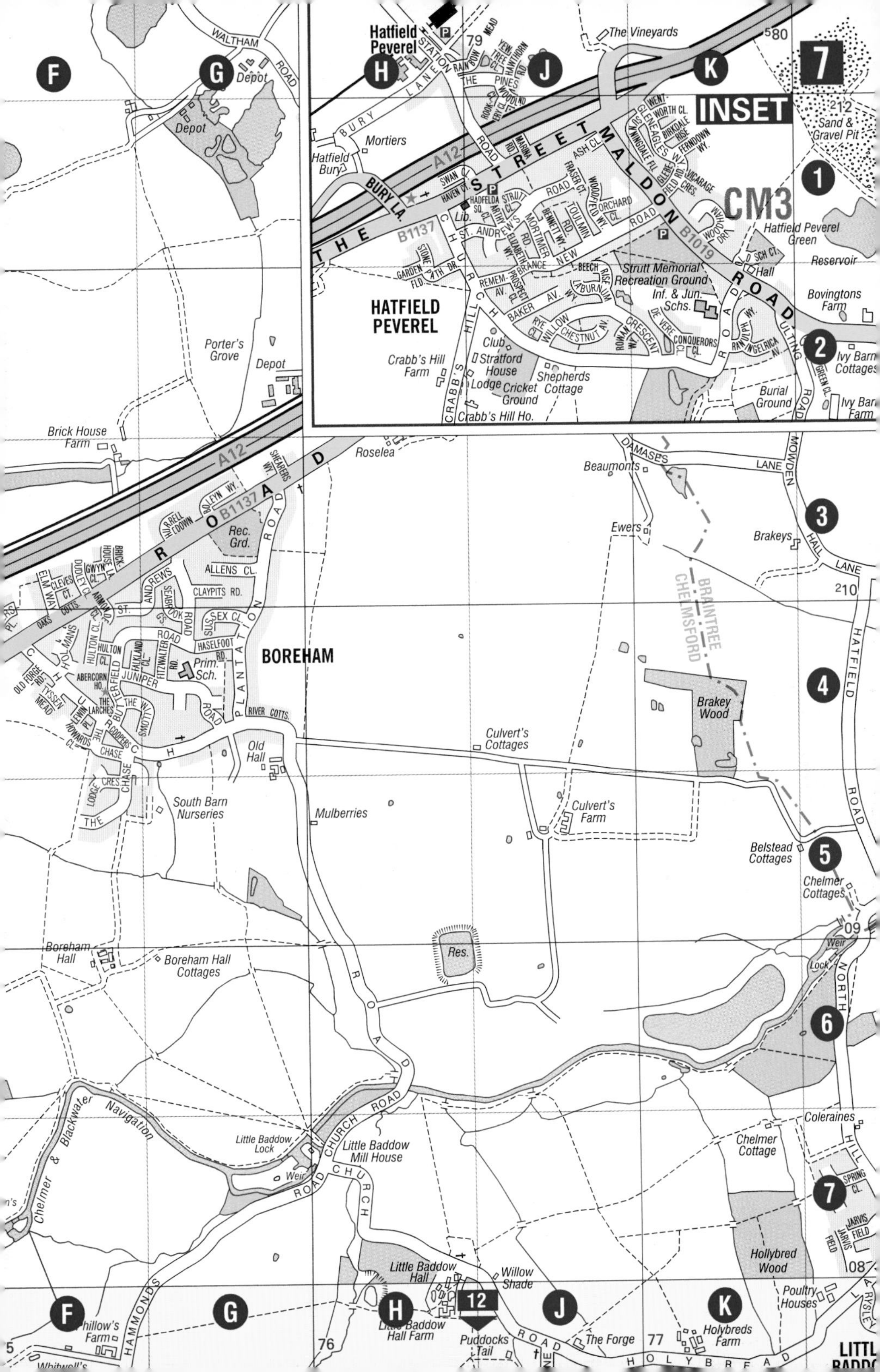

7
INSET
CM3
Hatfield Peverel
HATFIELD PEVEREL
BOREHAM
The Vineyards
Sand & Gravel Pit
Mortiers
Hatfield Bury
THE STREET
MALDON ROAD
B1019
B1137
A12
BURY LA.
Lib.
Hatfield Peverel Green
Reservoir
Strutt Memorial Recreation Ground
Inf. & Jun. Schs.
Bovingtons Farm
Ivy Barn Cottages
Ivy Barn Farm
Burial Ground
Crabb's Hill Farm
Club
Stratford House
Lodge
Cricket Ground
Shepherds Cottage
Crabb's Hill Ho.
Waltham Road
Depot
Porter's Grove
Brick House Farm
Roselea
Damases Lane
Beaumonts
Mowden Hall Lane
Ewers
Brakeys
BRAINTREE
CHELMSFORD
Hatfield Road
Rec. Grd.
Prim. Sch.
Plantation Road
River Cotts.
Old Hall
South Barn Nurseries
Mulberries
Culvert's Cottages
Culvert's Farm
Brakey Wood
Belstead Cottages
Chelmer Cottages
Weir
Lock
Res.
Boreham Hall
Boreham Hall Cottages
Chelmer & Blackwater Navigation
Little Baddow Lock
Little Baddow Mill House
Church Road
Coleraines
Chelmer Cottage
North Hill
Spring Cl.
Jarvis Field
Hollybred Wood
Little Baddow Hall
Willow Shade
Poultry Houses
Hammonds Road
Phillow's Farm
Little Baddow Hall Farm
Puddocks Tail
The Forge
Holybreds Farm
Holybread Road
12
F
G
H
J
K
1
2
3
4
5
6
7
76
77
79
580
212
210
09
08

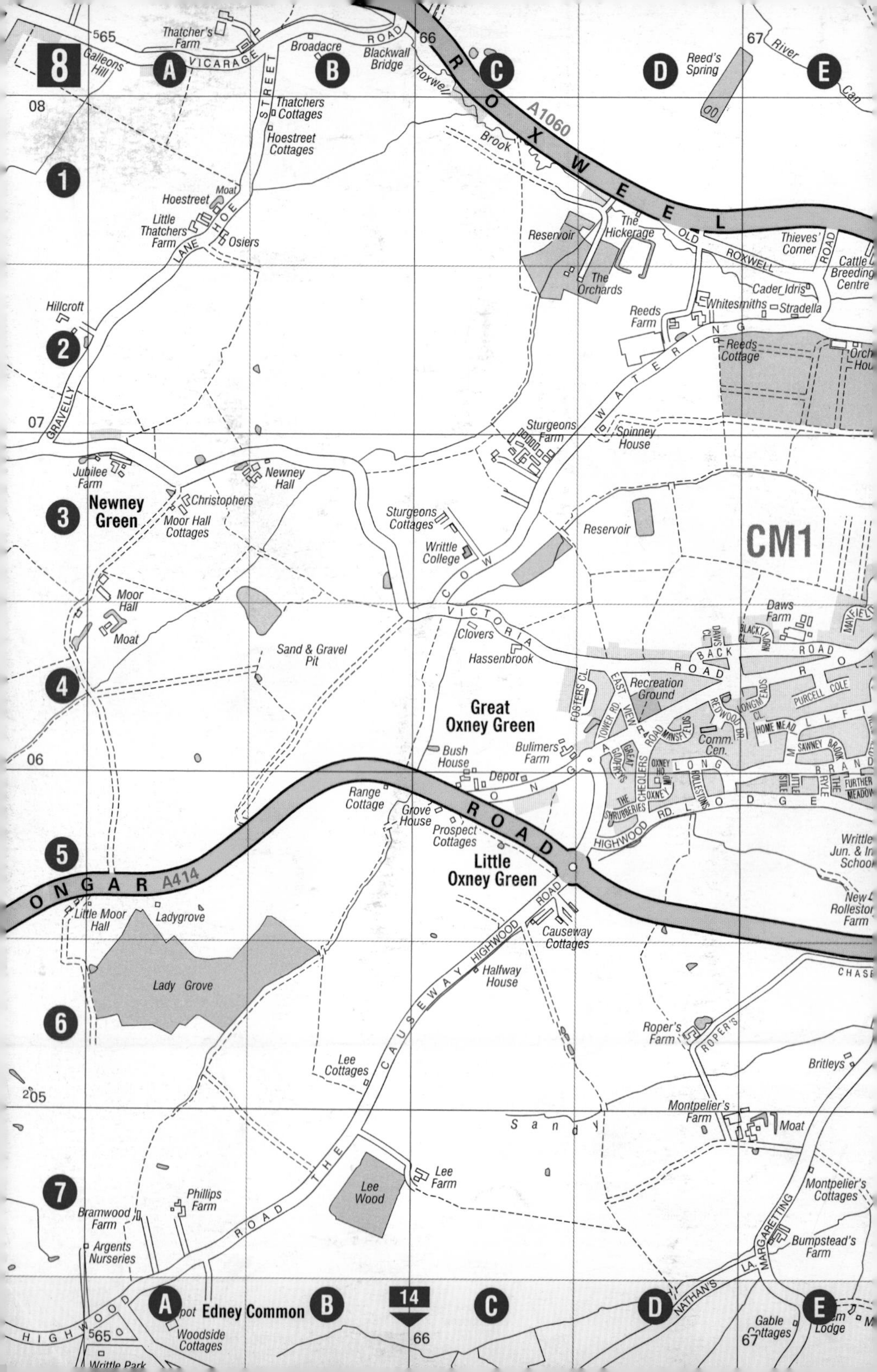

Thatcher's Farm
VICARAGE
ROAD
Broadacre
Blackwall Bridge
Galleons Hill
ROXWELL
A1060
Roxwell Brook
Reed's Spring
River Can
STREET
Thatchers Cottages
Hoestreet Cottages
Moat
Hoestreet
Little Thatchers Farm
HOE LANE
Osiers
The Hickerage
Reservoir
The Orchards
OLD ROXWELL
Thieves' Corner
ROAD
Cattle Breeding Centre
Cader Idris
Whitesmiths
Stradella
Reeds Farm
Reeds Cottage
Hillcroft
GRAVELLY
WATERING
Sturgeons Farm
Spinney House
Jubilee Farm
Newney Hall
Newney Green
Christophers
Moor Hall Cottages
Sturgeons Cottages
Writtle College
COW
Reservoir
CM1
Moor Hall
Moat
VICTORIA
Clovers
Hassenbrook
Sand & Gravel Pit
Daws Farm
BACK ROAD
Recreation Ground
Great Oxney Green
Bulimers Farm
Bush House
Depot
Comm. Cen.
LONG
PURCELL
HOME MEAD
SAWNEY BROOK
Range Cottage
Grove House
Prospect Cottages
ONGAR
A414
ROAD
LODGE
HIGHWOOD RD.
Little Oxney Green
Writtle Jun. & Inf. School
New Rollestone Farm
Little Moor Hall
Ladygrove
Lady Grove
Causeway Cottages
HIGHWOOD ROAD
THE CAUSEWAY
Halfway House
CHASE
Roper's Farm
ROPER'S
Britleys
Lee Cottages
Montpelier's Farm
Moat
Sandy
Lee Farm
Lee Wood
Montpelier's Cottages
Phillips Farm
Bramwood Farm
Argents Nurseries
MARGARETTING
Bumpstead's Farm
NATHAN'S LA.
Edney Common
14
Gable Cottages
Lodge
HIGHWOOD
Woodside Cottages
Writtle Park
565
66
67
08
07
06
05

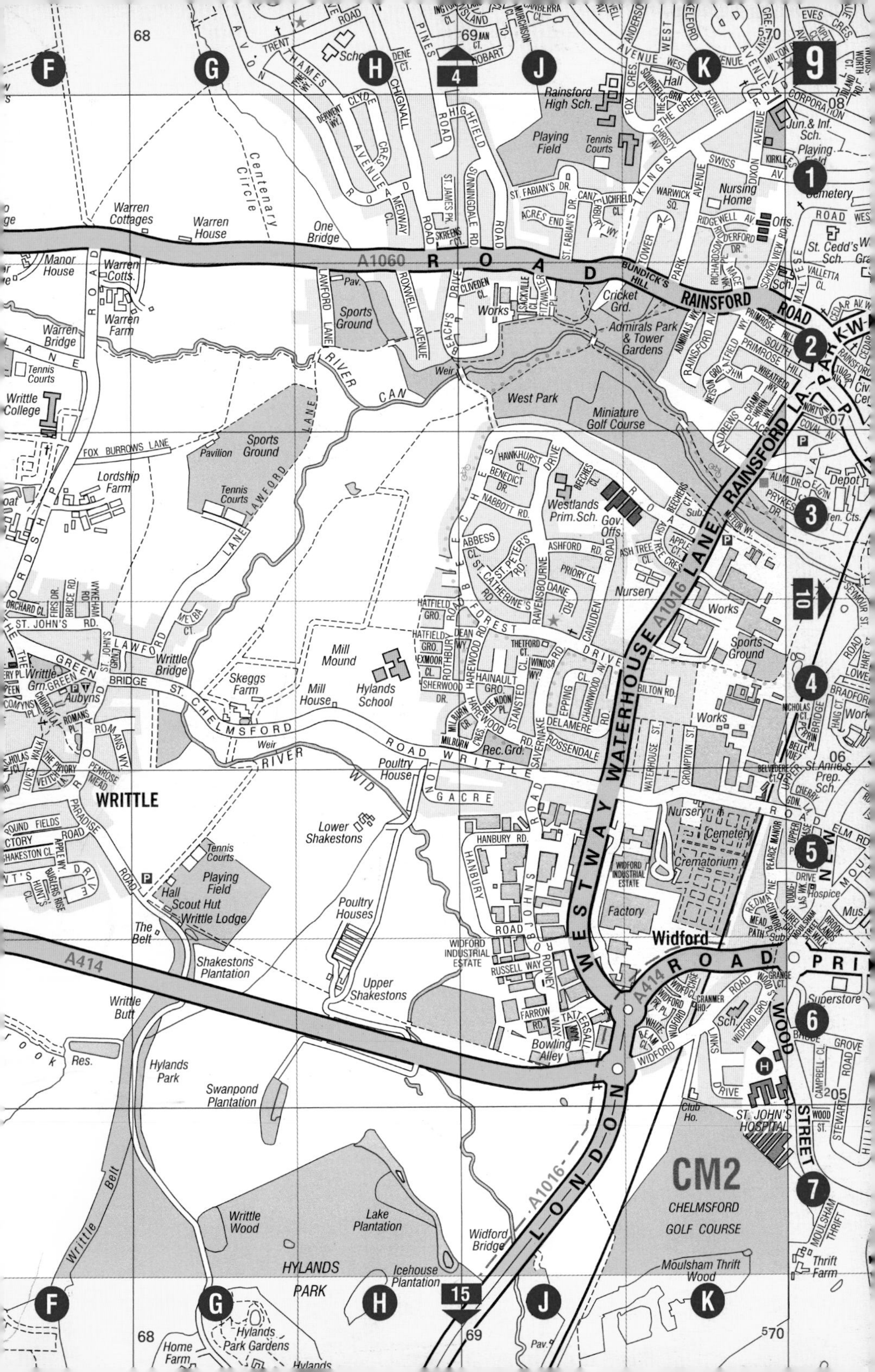
A1060 ROAD
RAINSFORD ROAD
BUNDICK'S HILL
Rainsford High Sch.
Playing Field
Tennis Courts
Nursing Home
Cemetery
St. Cedd's Sch.
Warren Cottages
Warren House
Manor House
Warren Cotts.
Warren Farm
Warren Bridge
One Bridge
Centenary Circle
Sports Ground
Works
Cricket Grd.
Admirals Park & Tower Gardens
West Park
Miniature Golf Course
RIVER CAN
Weir
Writtle College
FOX BURROWS LANE
Lordship Farm
Pavilion
LAWFORD LANE
Westlands Prim.Sch.
Gov. Offs.
Nursery
Depot
Mill Mound
Mill House
Hylands School
Skeggs Farm
Writtle Bridge
Aubyns
CHELMSFORD ROAD
WRITTLE
RIVER WID
Poultry House
Lower Shakestons
Poultry Houses
Upper Shakestons
Rec. Grd.
Cemetery
Crematorium
WIDFORD INDUSTRIAL ESTATE
Factory
Widford
Bowling Alley
Playing Field
Scout Hut
Writtle Lodge
The Belt
Shakestons Plantation
A414
Writtle Butt
Res.
Hylands Park
Swanpond Plantation
Writtle Wood
Lake Plantation
HYLANDS PARK
Icehouse Plantation
Widford Bridge
LONDON ROAD
A1016
WESTWAY WATERHOUSE LANE
RAINSFORD LA.
CM2
CHELMSFORD GOLF COURSE
Moulsham Thrift Wood
ST. JOHN'S HOSPITAL
WOOD STREET
Superstore
Thrift Farm
St. Anne's Prep. Sch.
Hospice
Hylands Park Gardens
Home Farm
4
10
15
68
69
570
08
07
06
05
F G H J K
1 2 3 4 5 6 7

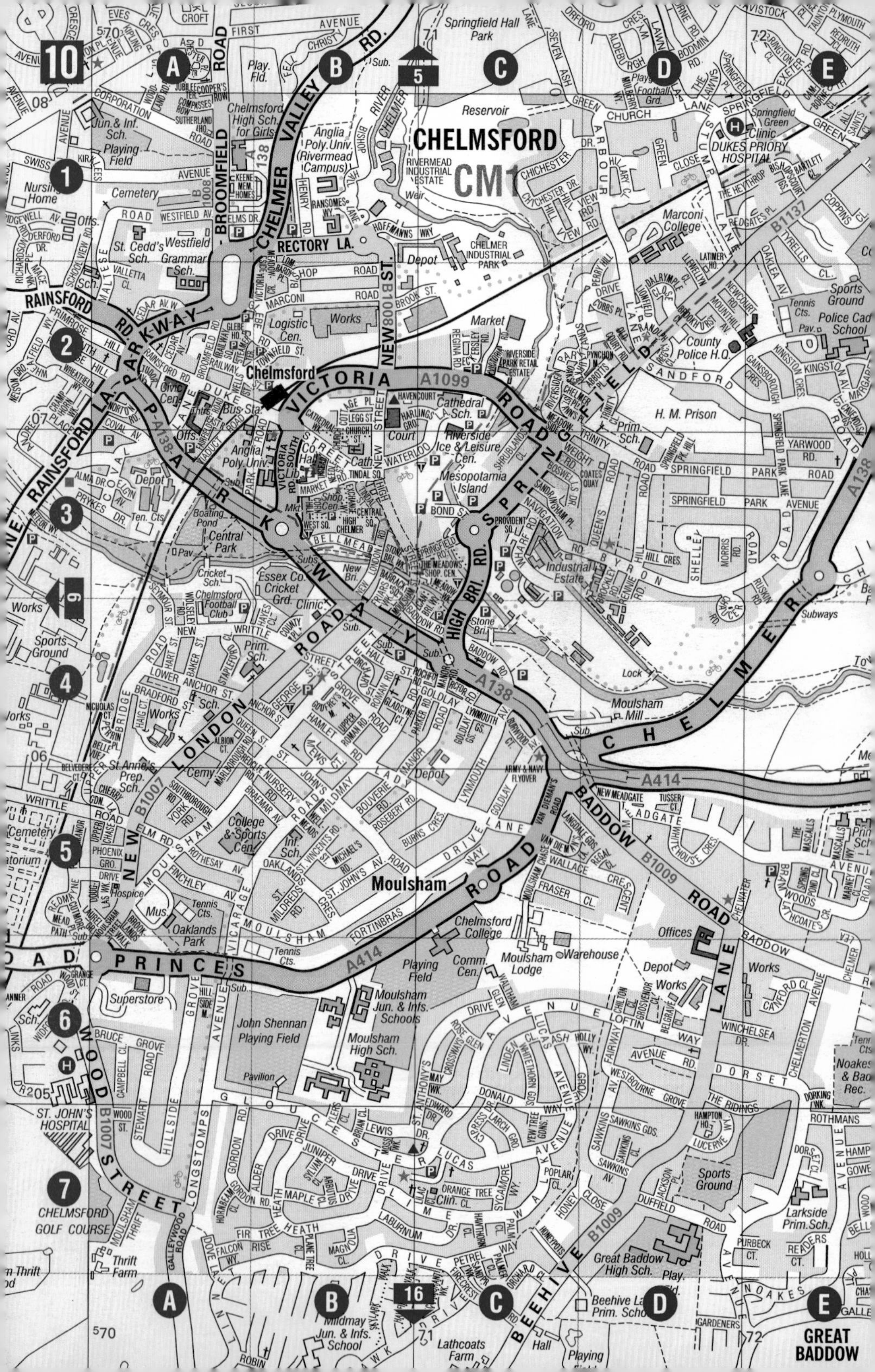

CHELMSFORD
CM1
Springfield Hall Park
Reservoir
Chelmsford High Sch. for Girls
Anglia Poly.Univ. (Rivermead Campus)
RIVERMEAD INDUSTRIAL ESTATE
CHELMER INDUSTRIAL PARK
Jun.& Inf. Sch.
Playing Field
Nursing Home
Cemetery
St. Cedd's Sch.
Westfield Grammar Sch.
RECTORY LA.
Depot
Works
Logistic Cen.
Market
RIVERSIDE PARK RETAIL ESTATE
Chelmsford
VICTORIA
A1099
Cathedral Sch.
Riverside Ice & Leisure Cen.
Mesopotamia Island
Anglia Poly.Univ.
Civic Cen.
Bus Sta.
Offs.
Central Park
Boating Pond
Essex Co. Cricket Grd.
Chelmsford Football Club
Clinic
Industrial Estate
Marconi College
County Police H.Q.
H. M. Prison
Springfield Green Clinic
DUKES PRIORY HOSPITAL
Sports Ground
Police Cadet School
Subways
Lock
Moulsham Mill
CHELMER
A414
A138
RAINSFORD
PARKWAY
LONDON ROAD
ARMY & NAVY FLYOVER
Moulsham
College & Sports Cen.
Inf. Sch.
Prim. Sch.
Cemy.
St. Anne's Prep. Sch.
Cemetery
Hospice
Mus.
Oaklands Park
Tennis Cts.
PRINCES
Superstore
John Shennan Playing Field
Pavilion
Moulsham Jun. & Infs. Schools
Moulsham High Sch.
Chelmsford College
Comm. Cen.
Playing Field
Moulsham Lodge
Warehouse
Offices
Works
ST. JOHN'S HOSPITAL
CHELMSFORD GOLF COURSE
Thrift Farm
Great Baddow High Sch.
Beehive Lane Prim. Sch.
Mildmay Jun. & Infs. School
Lathcoats Farm
Sports Ground
Larkside Prim.Sch.
Noakes & Baddow Rec.
GREAT BADDOW
B1009
B1007
B1008
B1137
5
9
16
570
71
72
A
B
C
D
E
1
2
3
4
5
6
7

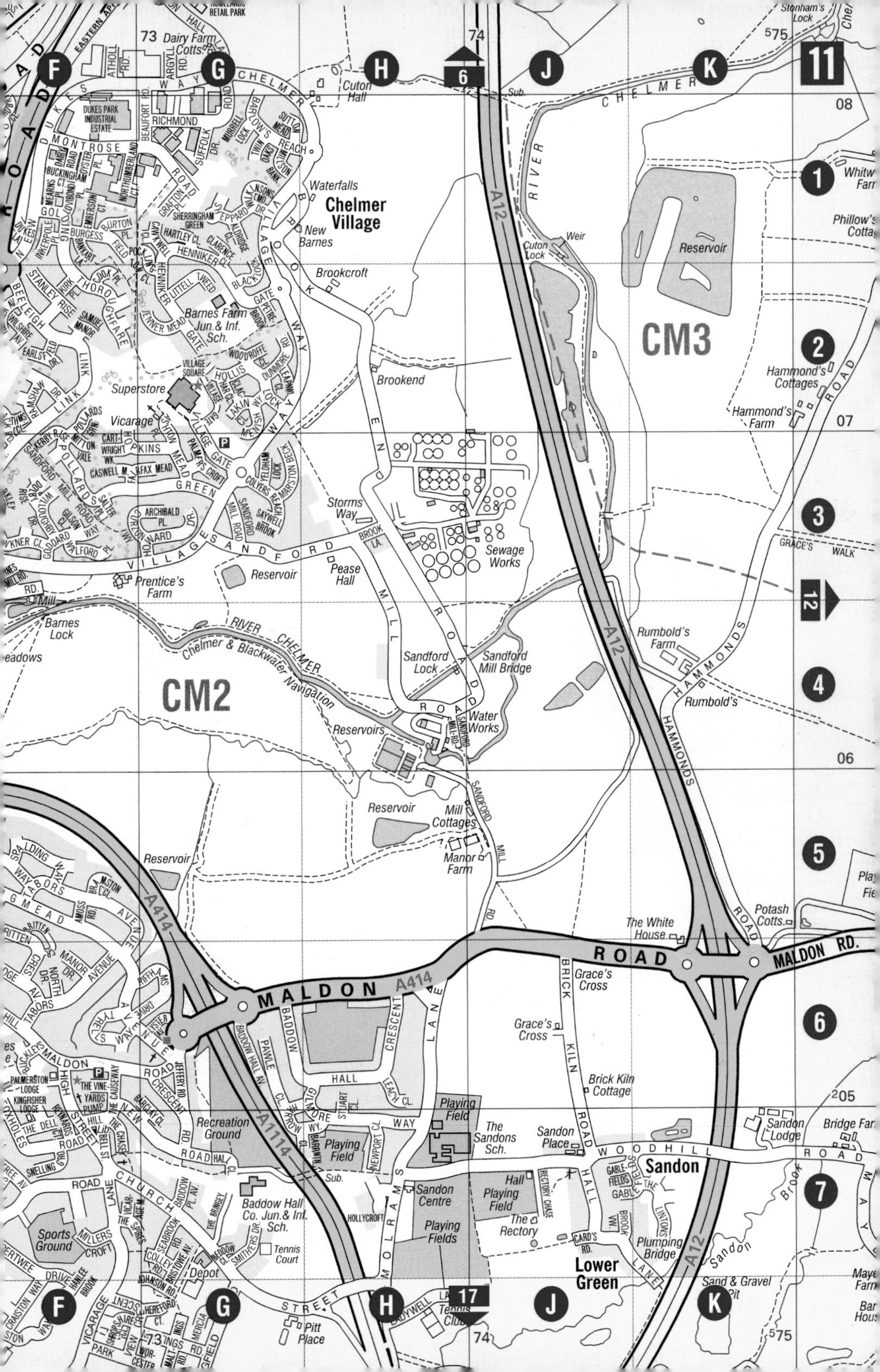
11
F
G
H
J
K
6
17
12
73
74
575
08
07
06
205
1
2
3
4
5
6
7
Chelmer Village
CM3
CM2
Sandon
Lower Green
Dukes Park Industrial Estate
Dairy Farm Cotts.
Cuton Hall
Waterfalls
New Barnes
Brookcroft
Brookend
Barnes Farm Jun. & Inf. Sch.
Village Square
Superstore
Vicarage
Cuton Lock
Weir
Reservoir
Hammond's Cottages
Hammond's Farm
Storms Way
Sewage Works
Pease Hall
Prentice's Farm
Mill
Barnes Lock
River Chelmer
Chelmer & Blackwater Navigation
Sandford Lock
Sandford Mill Bridge
Rumbold's Farm
Rumbold's
Water Works
Reservoirs
Mill Cottages
Manor Farm
Potash Cotts.
The White House
Grace's Cross
Brick Kiln Cottage
Recreation Ground
Playing Field
The Sandons Sch.
Sandon Place
Sandon Lodge
Bridge Farm
Sandon Centre
Playing Fields
Hall Playing Field
The Rectory
Baddow Hall Co. Jun. & Inf. Sch.
Tennis Court
Depot
Sports Ground
Plumping Bridge
Sand & Gravel Pit
Pitt Place
Tennis Club
Stonham's Lock
Phillow's Cotts
Grace's Walk
Maldon Road
Maldon Rd.
A12
A414
A1114
Chelmer Village Way
Sandford Road
Sandford Mill Road
Hammonds Road
Brick Kiln Road
Woodhill Road
Molrams Lane
Church Street
Baddow Hall Crescent
High Street
The Causeway

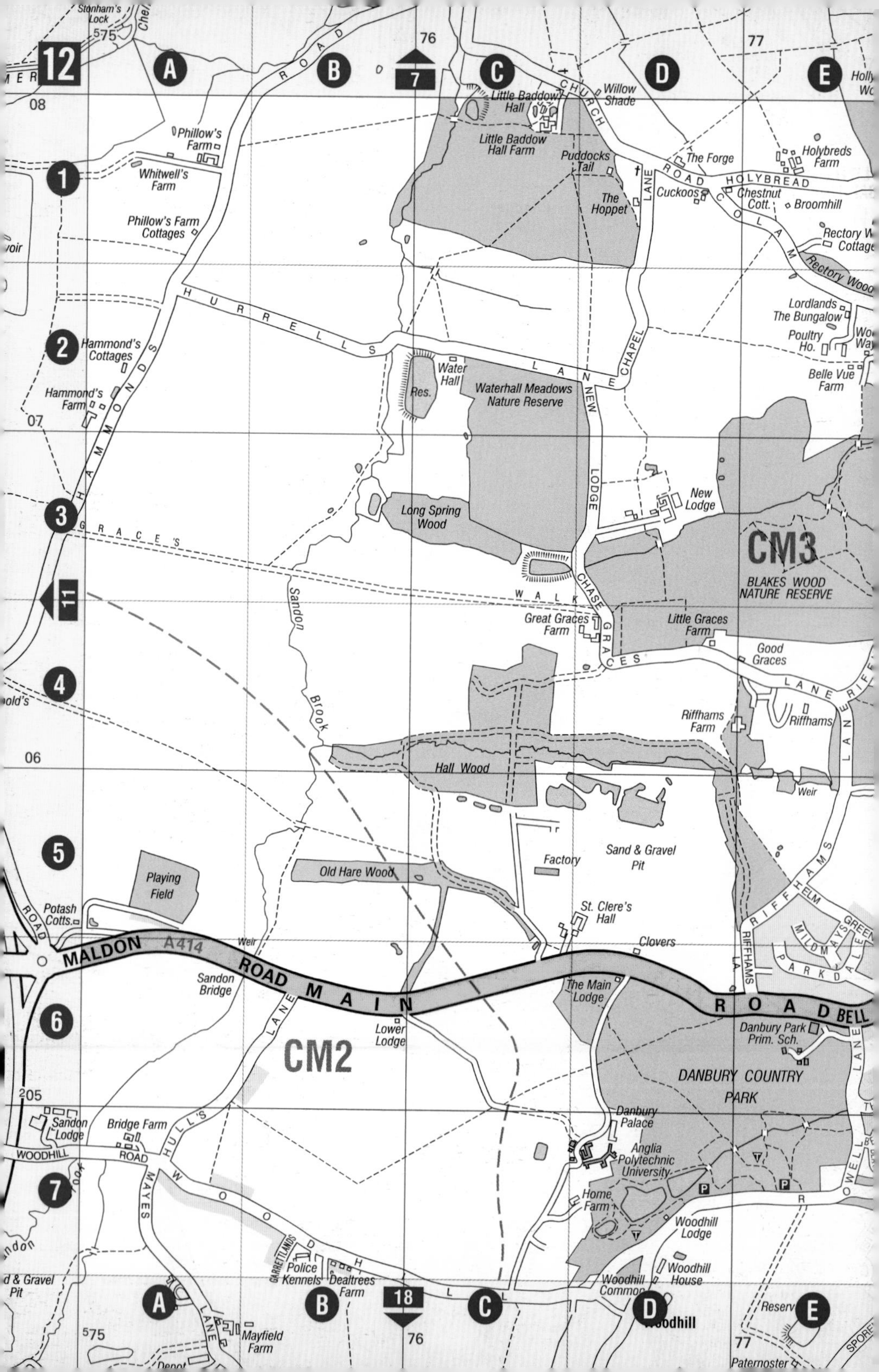
Stonham's Lock
Phillow's Farm
Whitwell's Farm
Phillow's Farm Cottages
Hammond's Cottages
Hammond's Farm
HAMMONDS
HURRELLS LANE
Little Baddow Hall
Little Baddow Hall Farm
CHURCH
Willow Shade
Puddocks Tail
The Hoppet
The Forge
Holybreds Farm
HOLYBREAD
ROAD
Cuckoos
Chestnut Cott.
Broomhill
COLAM
Rectory Wood
Lordlands
The Bungalow
Poultry Ho.
Belle Vue Farm
CHAPEL
Water Hall
Res.
Waterhall Meadows Nature Reserve
NEW LODGE
New Lodge
Long Spring Wood
GRACE'S WALK
CHASE
GRACES
CM3
BLAKES WOOD NATURE RESERVE
Great Graces Farm
Little Graces Farm
Good Graces
LANE
Riffhams Farm
Riffhams
Sandon Brook
Hall Wood
Weir
Factory
Sand & Gravel Pit
Old Hare Wood
Playing Field
Potash Cotts.
St. Clere's Hall
Clovers
RIFFHAMS
ELM
MILDMAYS
PARKDALE
MALDON ROAD
A414
MAIN ROAD
Sandon Bridge
LANE
The Main Lodge
Lower Lodge
CM2
Danbury Park Prim. Sch.
DANBURY COUNTRY PARK
Danbury Palace
Anglia Polytechnic University
Home Farm
Woodhill Lodge
Woodhill House
Woodhill Common
Woodhill
Sandon Lodge
Bridge Farm
WOODHILL ROAD
HULL'S LANE
MAYES LANE
GARRETTLANDS
Police Kennels
Dealtrees Farm
Mayfield Farm
Depot
Paternoster
Reserv
OWELL

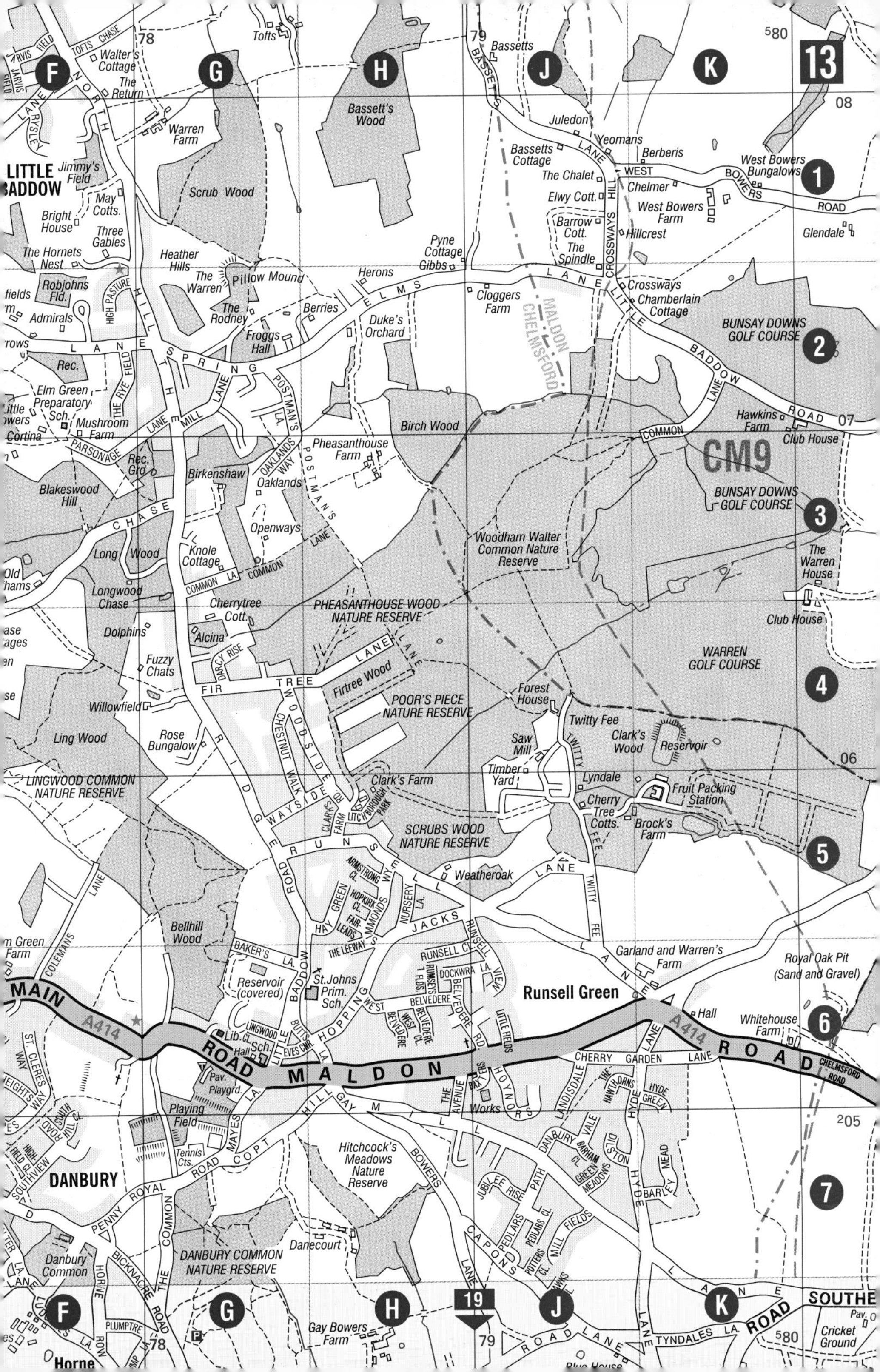
LITTLE BADDOW
DANBURY
Runsell Green
CM9
Bassett's Wood
Scrub Wood
Birch Wood
Woodham Walter Common Nature Reserve
PHEASANTHOUSE WOOD NATURE RESERVE
POOR'S PIECE NATURE RESERVE
SCRUBS WOOD NATURE RESERVE
LINGWOOD COMMON NATURE RESERVE
DANBURY COMMON NATURE RESERVE
Hitchcock's Meadows Nature Reserve
BUNSAY DOWNS GOLF COURSE
WARREN GOLF COURSE
Ling Wood
Long Wood
Bellhill Wood
Firtree Wood
Clark's Wood
MAIN ROAD
MALDON ROAD
A414
CHELMSFORD ROAD
LITTLE BADDOW ROAD
WEST BOWERS ROAD
SPRING ELMS LANE
FIR TREE LANE
RUNSELL LANE
TWITTY FEE
RIDGE ROAD
PENNY ROYAL ROAD
COPT HILL
GAY BOWERS LANE
CAPONS LANE
HYDE LANE
MAYES LA.
BICKNACRE ROAD
MALDON CHELMSFORD
Royal Oak Pit (Sand and Gravel)
Fruit Packing Station
St.Johns Prim. Sch.
Elm Green Preparatory Sch.
Garland and Warren's Farm
Whitehouse Farm
Gay Bowers Farm
Danbury Common
Pillow Mound
Reservoir
19
580
205
78
79
08
07
06

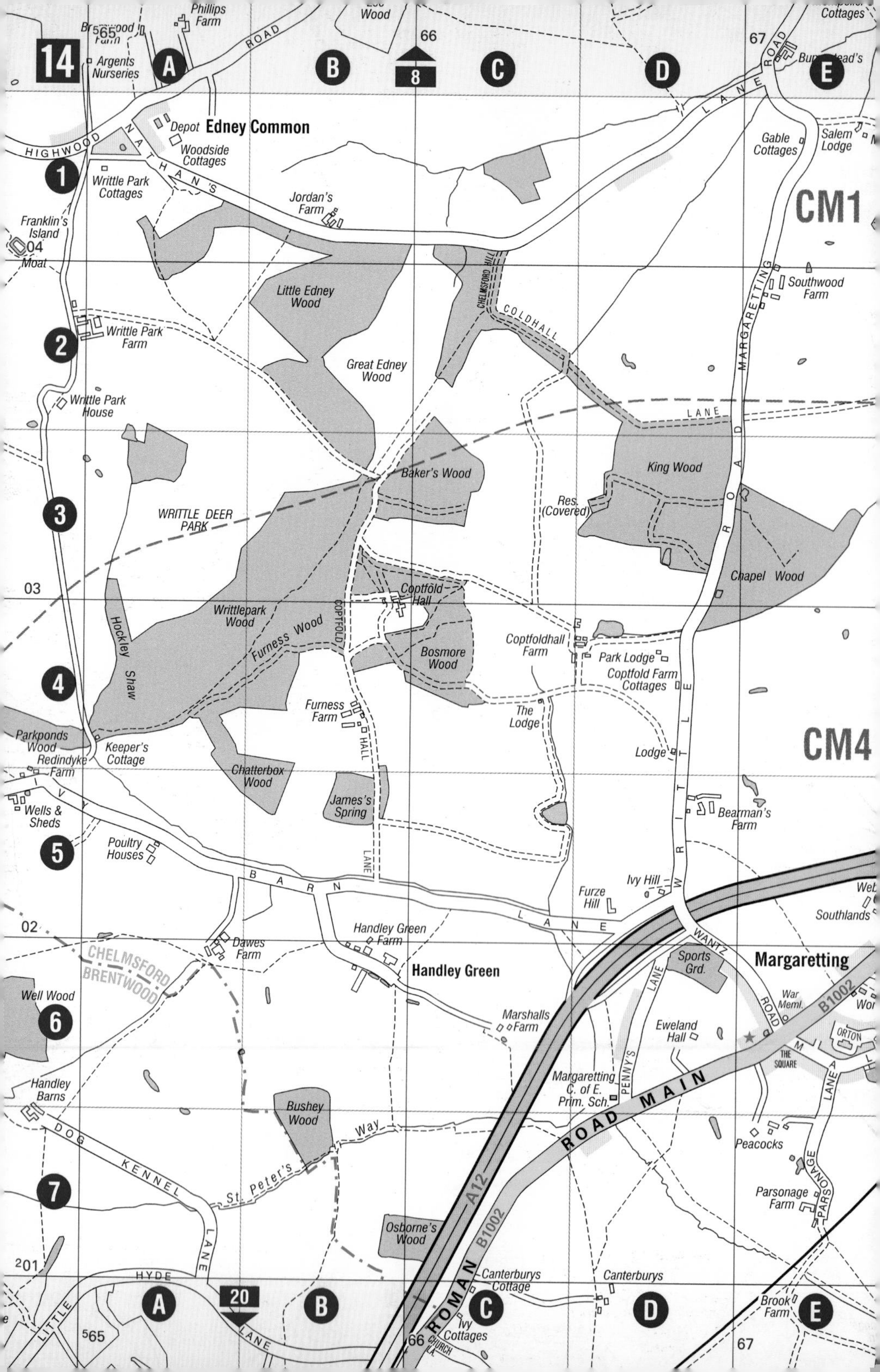
14
A
B
C
D
E
1
2
3
4
5
6
7
8
20
65
66
67
04
03
02
01
Edney Common
Phillips Farm
Argents Nurseries
Depot
Woodside Cottages
HIGHWOOD ROAD
NATHAN'S LANE
Writtle Park Cottages
Franklin's Island
Moat
Jordan's Farm
Bumpstead's
Gable Cottages
Salem Lodge
CM1
CM4
Little Edney Wood
Great Edney Wood
Writtle Park Farm
Writtle Park House
CHELMSFORD HILL
COLDHALL LANE
Southwood Farm
MARGARETTING ROAD
WRITTLE
King Wood
Baker's Wood
WRITTLE DEER PARK
Res. (Covered)
Chapel Wood
Coptfold Hall
COPTFOLD HALL LANE
Writtlepark Wood
Furness Wood
Hockley Shaw
Bosmore Wood
Coptfoldhall Farm
Park Lodge
Coptfold Farm Cottages
Furness Farm
The Lodge
Lodge
Parkponds Wood
Keeper's Cottage
Redindyke Farm
Chatterbox Wood
James's Spring
IVY BARN LANE
Wells & Sheds
Bearman's Farm
Poultry Houses
Ivy Hill
Furze Hill
Southlands
WANTZ ROAD
Handley Green Farm
Dawes Farm
CHELMSFORD
BRENTWOOD
Handley Green
Sports Grd.
Margaretting
Well Wood
Marshalls Farm
PENNY'S LANE
Eweland Hall
War Meml.
B1002
ORTON
THE SQUARE
Margaretting C. of E. Prim. Sch.
MAIN ROAD
Handley Barns
Bushey Wood
DOG KENNEL LANE
St. Peter's Way
A12
Peacocks
PARSONAGE LANE
Parsonage Farm
Osborne's Wood
ROMAN
Canterburys Cottage
Canterburys
HYDE LANE
LITTLE
Ivy Cottages
CHURCH LA.
Brook Farm

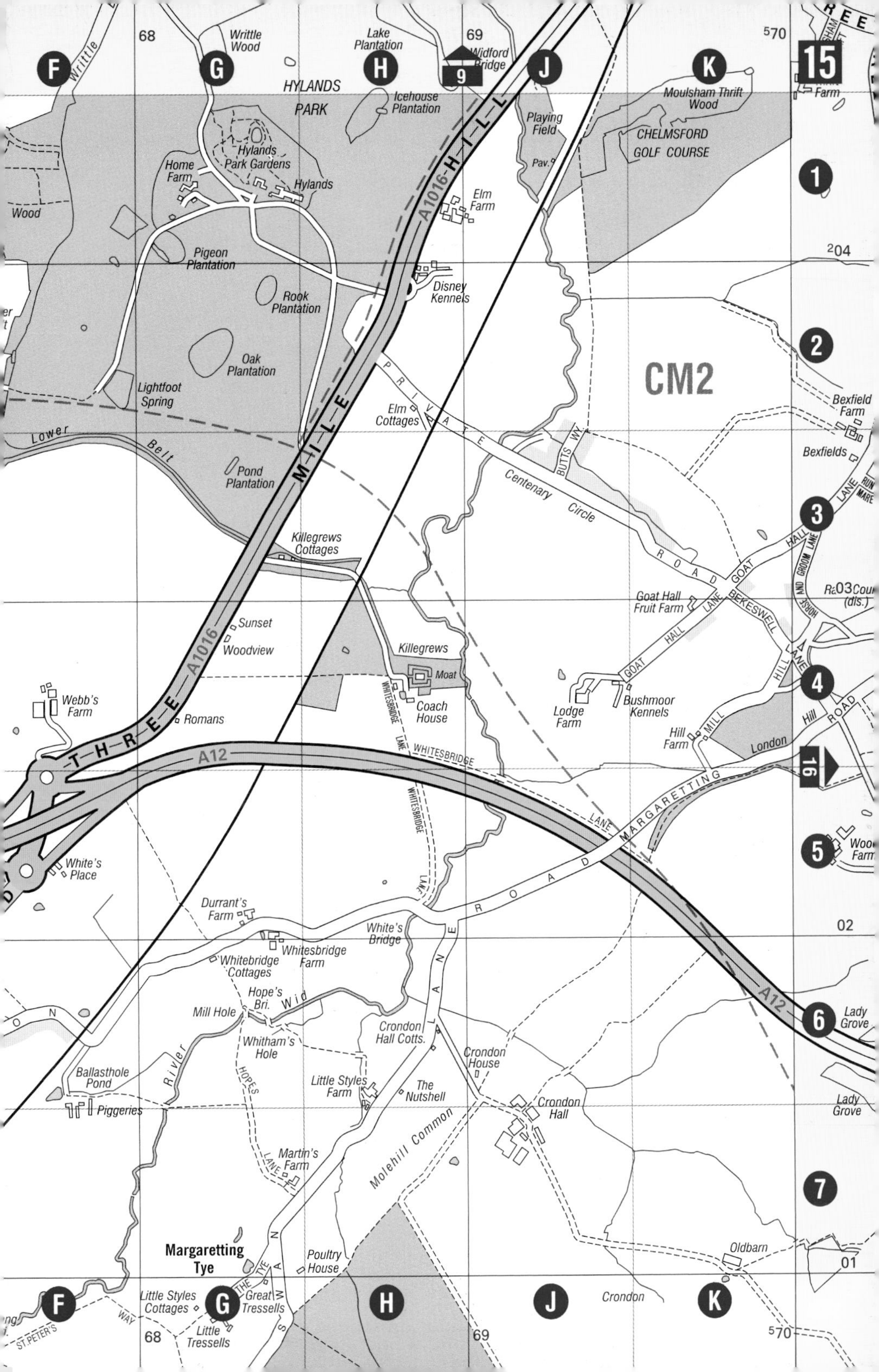

68
69
570
Writtle
Writtle Wood
Lake Plantation
Widford Bridge
9
HYLANDS PARK
Icehouse Plantation
Moulsham Thrift Wood
Farm
Playing Field
CHELMSFORD GOLF COURSE
Hylands Park Gardens
Home Farm
Hylands
Wood
Elm Farm
Pigeon Plantation
Rook Plantation
Disney Kennels
Oak Plantation
Lightfoot Spring
CM2
Bexfield Farm
Bexfields
Elm Cottages
PRIVATE ROAD
BUTTS WY.
Lower Belt
Pond Plantation
THREE MILE HILL
A1016
Centenary Circle
Killegrews Cottages
GOAT HALL LANE
Goat Hall Fruit Farm
BEKESWELL LANE
HORSE AND GROOM LANE
Sunset
Woodview
Killegrews
Moat
Coach House
Webb's Farm
Romans
WHITESBRIDGE LANE
Lodge Farm
Bushmoor Kennels
Hill Farm
MILL HILL
London Road
16
A12
MARGARETTING ROAD
White's Place
Durrant's Farm
White's Bridge
Whitesbridge Farm
Whitebridge Cottages
Hope's Bri.
Wid
Mill Hole
Whitham's Hole
Crondon Hall Cotts.
Crondon House
River
Ballasthole Pond
Piggeries
HOPES LANE
Little Styles Farm
The Nutshell
Crondon Hall
Molehill Common
Martin's Farm
Lady Grove
Margaretting Tye
THE TYE
SWAN LANE
Poultry House
Oldbarn
Little Styles Cottages
Great Tressells
Little Tressells
ST. PETER'S WAY
Crondon
204
03
02
01
F
G
H
J
K
1
2
3
4
5
6
7

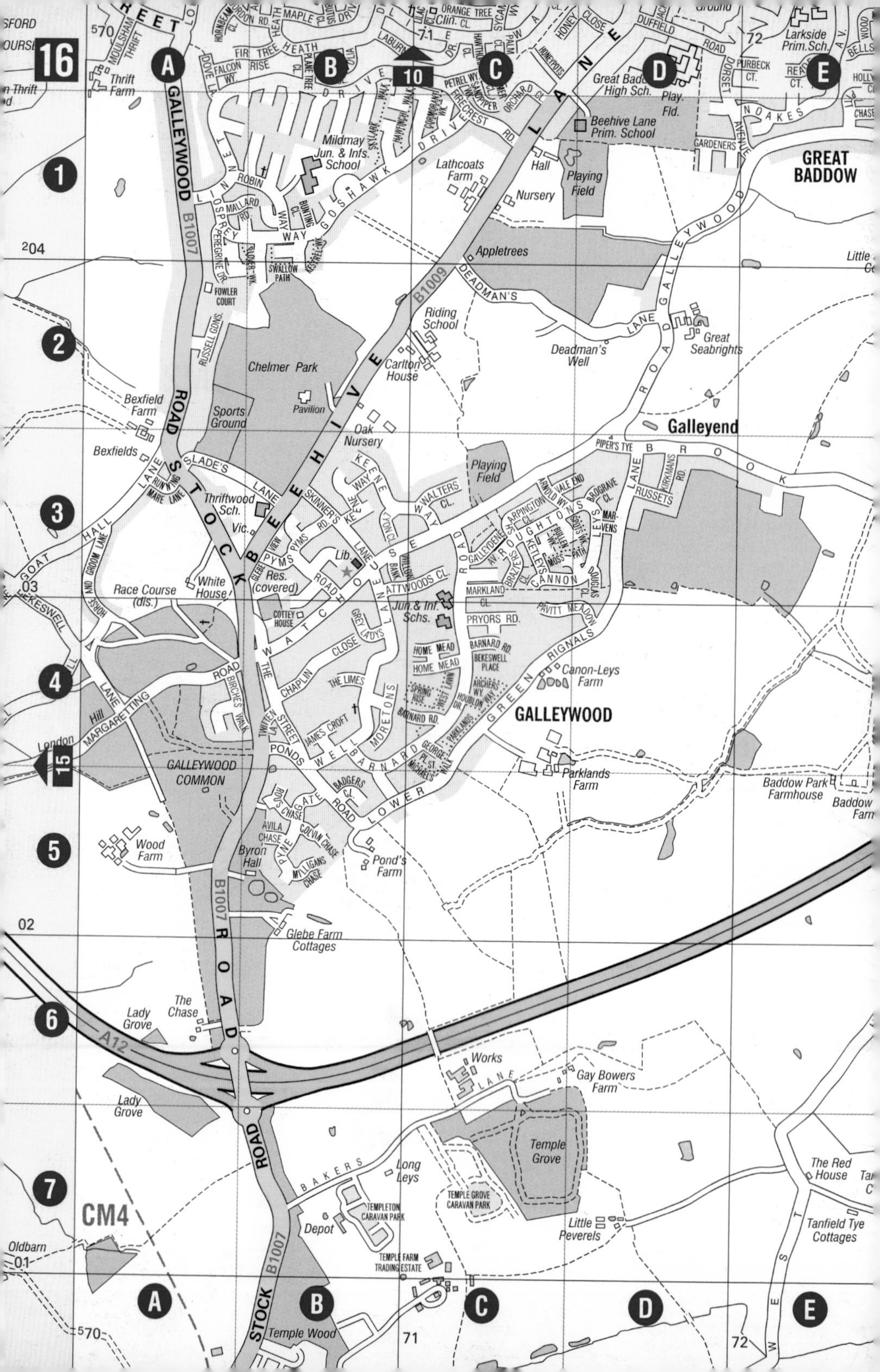
16
10
15
GREAT BADDOW
Galleyend
GALLEYWOOD
Great Baddow High Sch.
Beehive Lane Prim. School
Larkside Prim.Sch.
Mildmay Jun. & Infs. School
Lathcoats Farm
Hall
Nursery
Playing Field
Play. Fld.
Appletrees
Riding School
Carlton House
Deadman's Well
Great Seabrights
Chelmer Park
Pavilion
Sports Ground
Oak Nursery
Bexfield Farm
Bexfields
Thriftwood Sch.
Vic.
Lib.
Res. (covered)
White House
Race Course (dis.)
Jun.& Inf. Schs.
Canon-Leys Farm
GALLEYWOOD COMMON
Parklands Farm
Baddow Park Farmhouse
Wood Farm
Byron Hall
Pond's Farm
Glebe Farm Cottages
Thrift Farm
Lady Grove
The Chase
Works
Gay Bowers Farm
Temple Grove
Long Leys
TEMPLETON CARAVAN PARK
TEMPLE GROVE CARAVAN PARK
Depot
TEMPLE FARM TRADING ESTATE
Little Peverels
The Red House
Tanfield Tye Cottages
Temple Wood
Oldbarn
CM4
London
GALLEYWOOD ROAD
STOCK ROAD
BEEHIVE LANE
B1007
B1009
A12
DEADMAN'S LANE
GALLEYWOOD ROAD
BROOK LANE
WATCHOUSE ROAD
GOSHAWK DRIVE
SLADE'S LANE
SKINNER'S LANE
GOAT HALL LANE
HORSE AND GROOM LANE
MARGARETTING ROAD
PONDS ROAD
BARNARD ROAD
LOWER GREEN
RIGNALS LANE
BAKERS LANE
CHAPLIN CLOSE
PAVITT MEADOW
PYMS RD.
KEENE WAY
WALTERS CL.
ATTWOODS CL.
PRYORS RD.
MARKLAND CL.
HOME MEAD
THE LIMES
JAMES CROFT
MORETONS
BIRCHES WALK
TWITTEN LA.
THE STREET
BADGERS CL.
AVILA CHASE
COLVIN CHASE
PYNE
MILLIGANS CHASE
OSPREY WAY
MALLARD RD.
ROBIN
PEREGRINE DR.
SWALLOW PATH
FOWLER COURT
RUSSELL GDNS.
FIRECREST RD.
ORCHARD CL.
DUFFIELD ROAD
NOAKES AVENUE
GARDENERS
DORSET AVENUE
PURBECK CT.
FALCON WY.
FIR TREE RISE
HEATH DRIVE
PIPER'S TYE
RUSSETS
KIRKMANS RD.
BROUGHTON
CANNON
LEYS
GALLEYDENE AV.
ARNOLD WY.
VALE END
BRAZIERS CL.
KETLEYS
MOSS PATH
DOUGLAS CL.
BARNARD RD.
BEKESWELL PLACE
ARCHERS WY.
HOUBLON DR.
PARKLANDS
GEORGE PL.
ST. MICHAEL'S WALK
SPRING RISE
WEST LAWN
GREY LADYS
WILLOW BANK
YONGE CL.
GLEBE VIEW
RUNNING MARE LANE
BEKESWELL
HILL
WEST
570
71
72
204
03
02
01
A
B
C
D
E
1
2
3
4
5
6
7

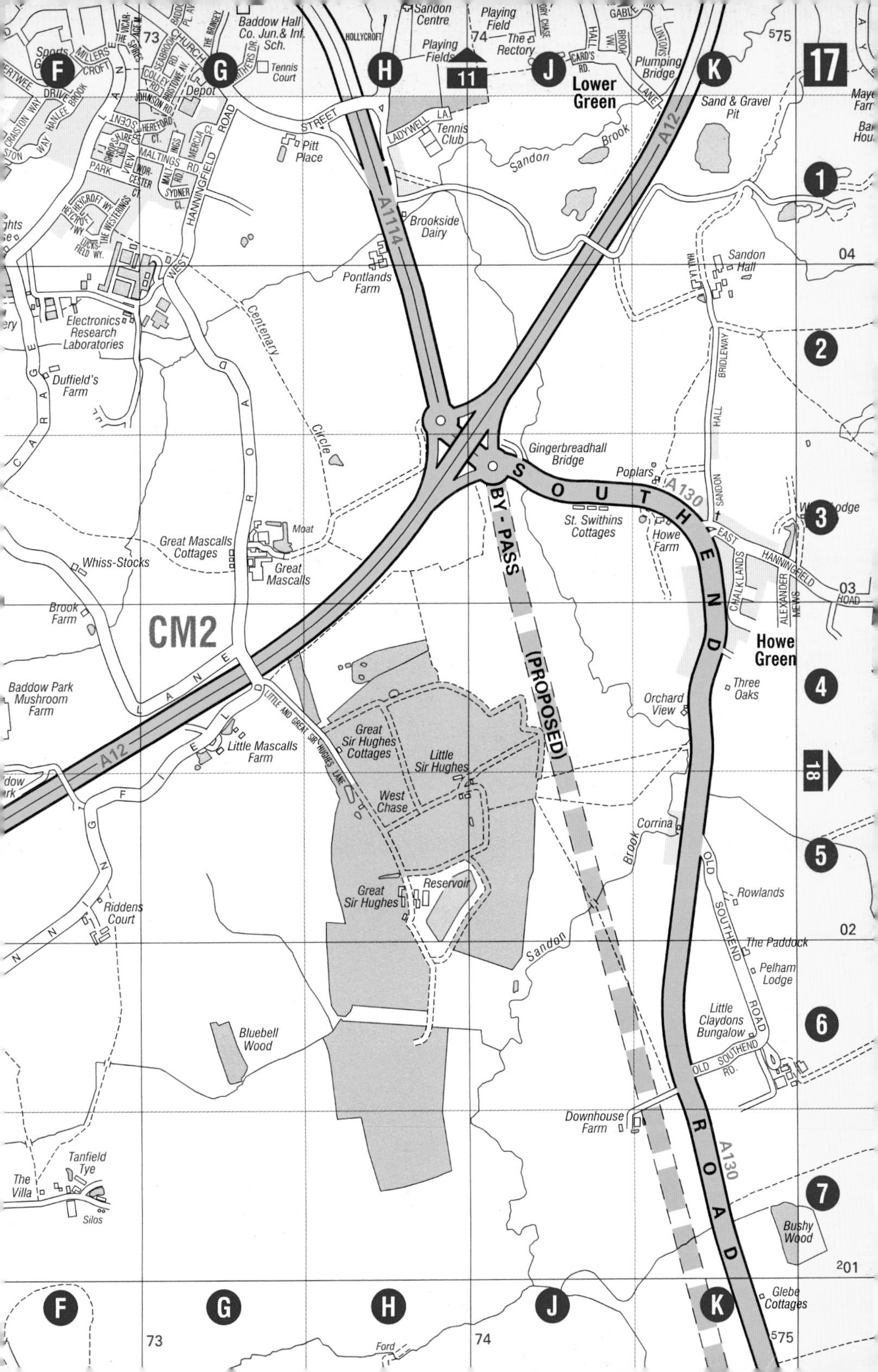

17
11
18
F
G
H
J
K
1
2
3
4
5
6
7
73
74
575
04
03
02
201
CM2
Baddow Hall Co. Jun.& Inf. Sch.
Tennis Court
Depot
Sandon Centre
Playing Field
Playing Fields
The Rectory
Lower Green
Plumping Bridge
Sand & Gravel Pit
Tennis Club
Pitt Place
Sandon Brook
Brookside Dairy
Pontlands Farm
Sandon Hall
Electronics Research Laboratories
Duffield's Farm
Centenary Circle
Gingerbreadhall Bridge
Poplars
St. Swithins Cottages
Howe Farm
Moat
Great Mascalls Cottages
Great Mascalls
Whiss-Stocks
Brook Farm
Howe Green
Three Oaks
Baddow Park Mushroom Farm
Orchard View
Little Mascalls Farm
Great Sir Hughes Cottages
Little Sir Hughes
West Chase
Corrina
Reservoir
Great Sir Hughes
Rowlands
Riddens Court
The Paddock
Pelham Lodge
Little Claydons Bungalow
Bluebell Wood
Downhouse Farm
Tanfield Tye
The Villa
Silos
Bushy Wood
Glebe Cottages
Ford
A12
A1114
A130
SOUTHEND BY-PASS (PROPOSED)
SOUTHEND ROAD
OLD SOUTHEND ROAD
OLD SOUTHEND RD.
EAST HANNINGFIELD ROAD
WEST HANNINGFIELD ROAD
HANNINGFIELD ROAD
GALLEYWOOD
LITTLE AND GREAT SIR HUGHES LANE
SANDON HALL BRIDLEWAY
HALL LA.
CHALKLANDS
ALEXANDER MEWS
LADYWELL LA.
STREET
HOLLYCROFT
CARD'S RD.
BROOK VW.
LINTONS
GABLE
MILLERS CROFT
DRIVE
HANLEE BROOK
CRAISTON WAY
HEYCROFT WY.
THE WESTERINGS
LUCKSFIELD WY.
PARK
MALTINGS RD
SHROPSHIRE
HEREFORD CT.
WORCESTER CT.
MERCIA CL.
SYDNER CL.
JOHNSON RD.
COLLEY RD.
BRISTOWE AV.
SEABROOK RD.
CHURCH
THE SPIRES
VICARAGE M.
THE BRINGEY

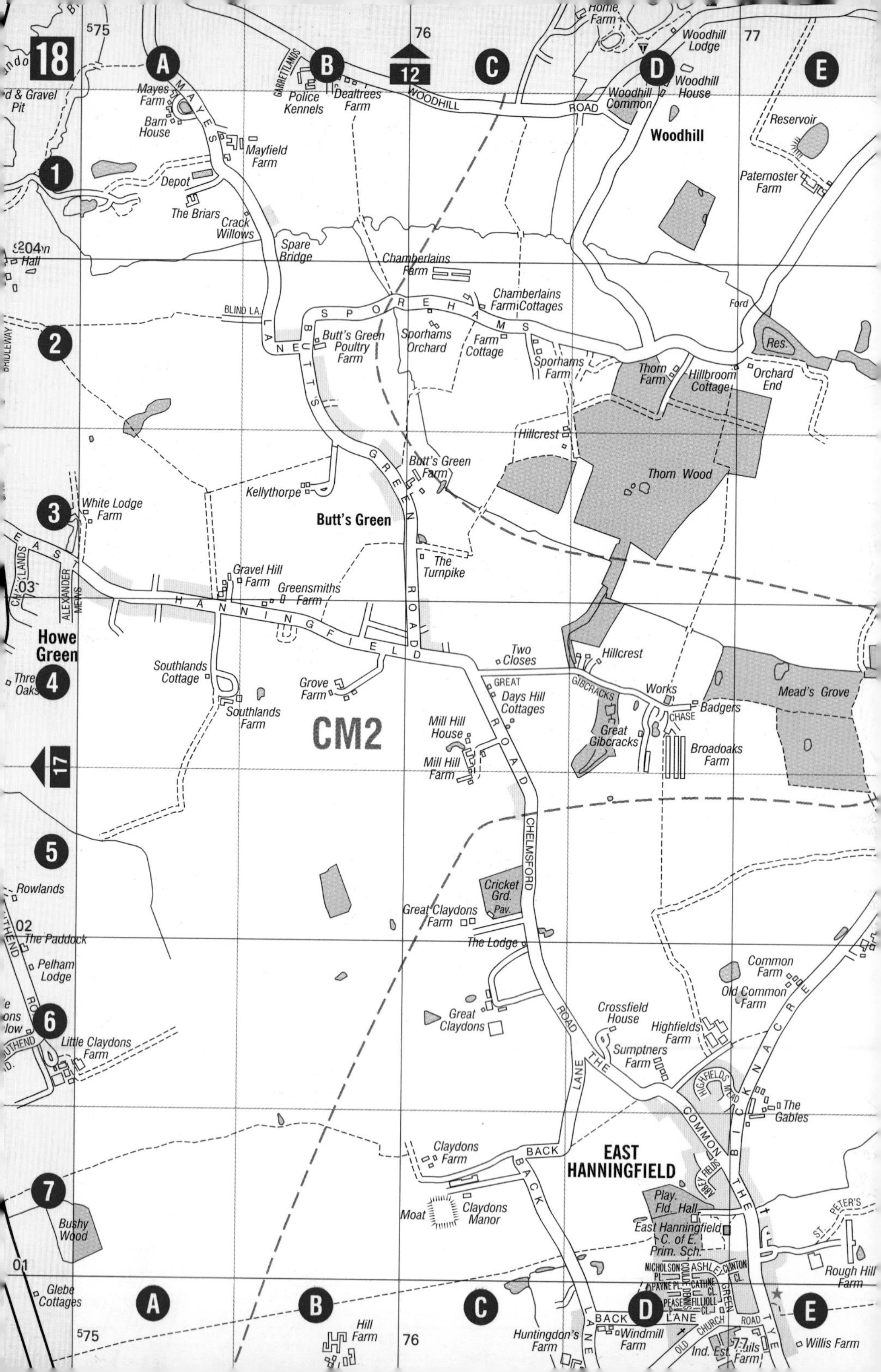
Mayes Farm
Barn House
Mayfield Farm
Depot
The Briars
Crack Willows
Spare Bridge
Police Kennels
Dealtrees Farm
Woodhill Road
Home Farm
Woodhill Lodge
Woodhill Common
Woodhill House
Woodhill
Reservoir
Paternoster Farm
Chamberlains Farm
Chamberlains Farm Cottages
Sporhams Lane
Blind La.
Butt's Green Poultry Farm
Sporhams Orchard
Farm Cottage
Sporhams Farm
Thorn Farm
Hillbroom Cottage
Orchard End
Ford
Res.
Hillcrest
Thorn Wood
Butt's Green Farm
Kellythorpe
Butt's Green
White Lodge Farm
The Turnpike
Gravel Hill Farm
Greensmiths Farm
Hanningfield Road
Butt's Green Road
Howe Green
Two Closes
Hillcrest
Southlands Cottage
Grove Farm
Southlands Farm
Great Days Hill Cottages
Gibcracks Chase
Works
Badgers
Mead's Grove
Great Gibcracks
Broadoaks Farm
CM2
Mill Hill House
Mill Hill Farm
Chelmsford Road
Rowlands
The Paddock
Pelham Lodge
Cricket Grd.
Pav.
Great Claydons Farm
The Lodge
Common Farm
Old Common Farm
Great Claydons
Crossfield House
Highfields Farm
Sumptners Farm
Little Claydons Farm
Highfields Mead
The Gables
The Common
Bicknacre Road
Claydons Farm
Back Lane
EAST HANNINGFIELD
Abbey Fields
Play. Fld.
Hall
Moat
Claydons Manor
East Hanningfield C. of E. Prim. Sch.
St. Peter's
Bushy Wood
Rough Hill Farm
Nicholson Pl.
Ashley
Clinton Cl.
Payne Pl.
Catherine Cl.
Pease Pl.
Fillioll Cl.
Green
Glebe Cottages
Hill Farm
Huntingdon's Farm
Windmill Farm
Church Road
Old Church Road
Ind. Est.
Tye
Willis Farm
Elms Farm

12
17

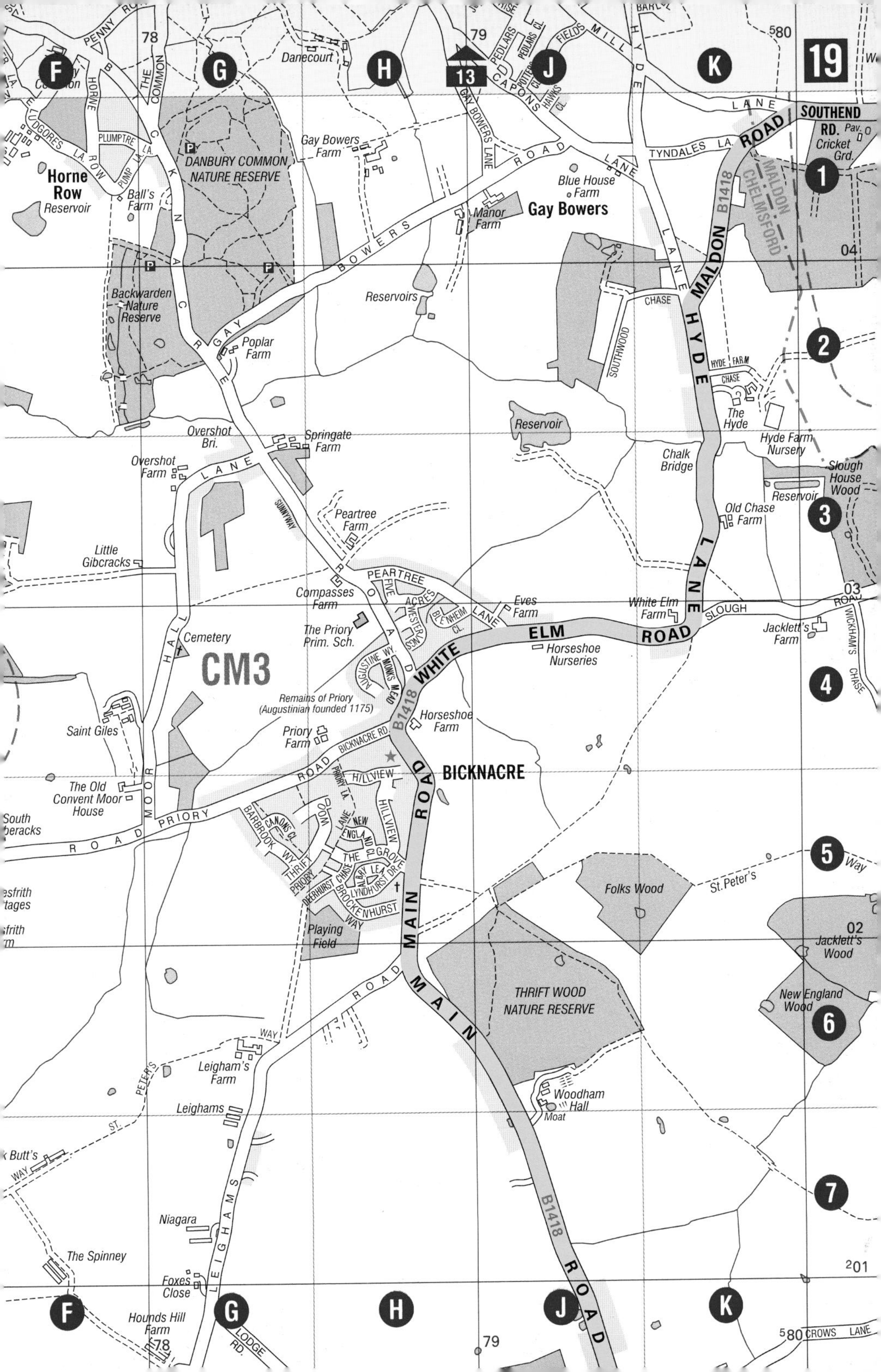

Horne Row
Reservoir
DANBURY COMMON NATURE RESERVE
Backwarden Nature Reserve
Ball's Farm
Danecourt
Gay Bowers Farm
Manor Farm
Gay Bowers
Blue House Farm
Reservoirs
Poplar Farm
Overshot Bri.
Springate Farm
Overshot Farm
Peartree Farm
Little Gibcracks
Compasses Farm
The Priory Prim. Sch.
Cemetery
CM3
Remains of Priory (Augustinian founded 1175)
Priory Farm
Saint Giles
The Old Convent Moor House
Horseshoe Farm
BICKNACRE
Eves Farm
Horseshoe Nurseries
White Elm Farm
Jacklett's Farm
Reservoir
Chalk Bridge
The Hyde
Hyde Farm Nursery
Slough House Wood
Old Chase Farm
Cricket Grd.
Pav.
Folks Wood
St. Peter's Way
Jacklett's Wood
New England Wood
THRIFT WOOD NATURE RESERVE
Woodham Hall
Moat
Playing Field
Leigham's Farm
Leighams
Niagara
The Spinney
Foxes Close
Hounds Hill Farm
GAY BOWERS ROAD
DANBURY COMMON
WHITE ELM ROAD
MAIN ROAD
HYDE LANE
MALDON ROAD
SOUTHEND RD.
SLOUGH ROAD
PRIORY ROAD
BICKNACRE RD.
LEIGHAMS ROAD
MOOR HALL LANE
CROWS LANE
LODGE RD.
B1418
13

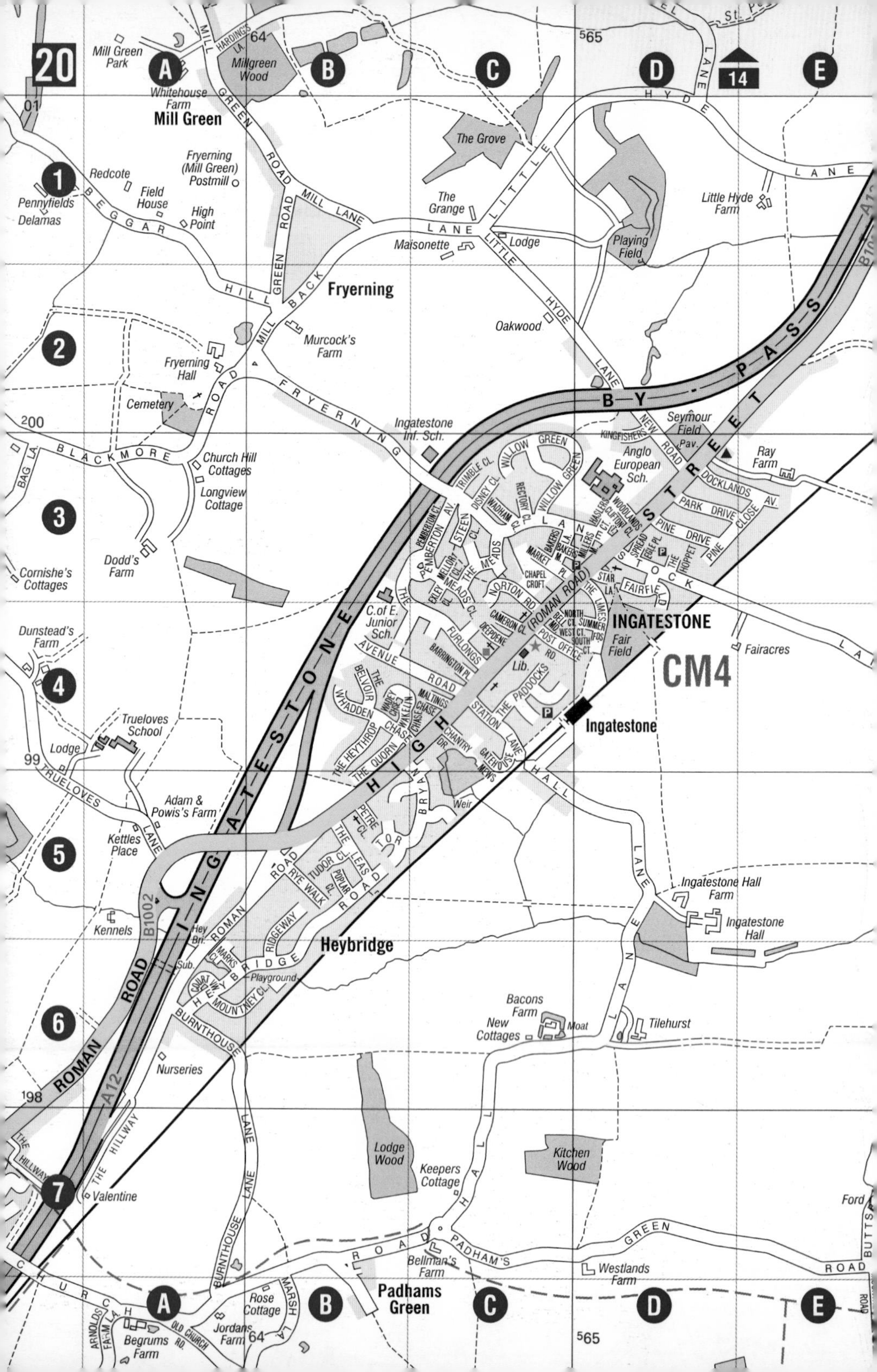
20
14
A
B
C
D
E
1
2
3
4
5
6
7
Mill Green Park
Whitehouse Farm
Mill Green
Millgreen Wood
The Grove
Fryerning (Mill Green) Postmill
Redcote
Field House
High Point
Pennyfields
Delamas
The Grange
Maisonette
Lodge
Playing Field
Little Hyde Farm
Fryerning
Oakwood
Murcock's Farm
Fryerning Hall
Cemetery
Ingatestone Inf. Sch.
Seymour Field
Pav.
Ray Farm
Anglo European Sch.
Church Hill Cottages
Longview Cottage
Dodd's Farm
Cornishe's Cottages
Dunstead's Farm
C.of E. Junior Sch.
INGATESTONE
CM4
Fair Field
Fairacres
Lib.
Post Office
Ingatestone
Trueloves School
Lodge
Adam & Powis's Farm
Kettles Place
Weir
Ingatestone Hall Farm
Ingatestone Hall
Kennels
Hey Bri.
Sub.
Heybridge
Playground
Bacons Farm
New Cottages
Moat
Tilehurst
Nurseries
Lodge Wood
Keepers Cottage
Kitchen Wood
Valentine
Ford
Bellman's Farm
Westlands Farm
Padhams Green
Rose Cottage
Jordans Farm
Begrums Farm
Ingatestone By-Pass
High Street
Roman Road
Mill Green Road
Mill Lane
Beggar Hill
Back Lane
Little Hyde Lane
Hyde Lane
Fryerning Lane
Blackmore Road
Bag La.
Trueloves Lane
Burnthouse Lane
Hall Lane
Padham's Green Road
Church Lane
Stock Lane
Docklands Av.
Park Drive
Pine Drive
Pine Close
Station Lane
Willow Green
New Road
Kingfishers
Pemberton Av.
The Meads
Avenue Road
Norton Rd.
Furlongs
Heybridge
Ridgeway
Rye Walk
Tudor Cl.
Poplar Cl.
The Leas
Petre Cl.
Tor Bryan
The Paddocks
Chantry Dr.
Gatehouse Mews
The Heythrop
The Quorn
The Belvoir
Whadden Chase
Maltings Chase
Mountney Cl.
Court Way
Marks Cl.
The Hillway
Old Church Rd.
Arnolds Farm La.
Marsh La.
Butts Road
B1002
A12
64
565
200
99
198
01

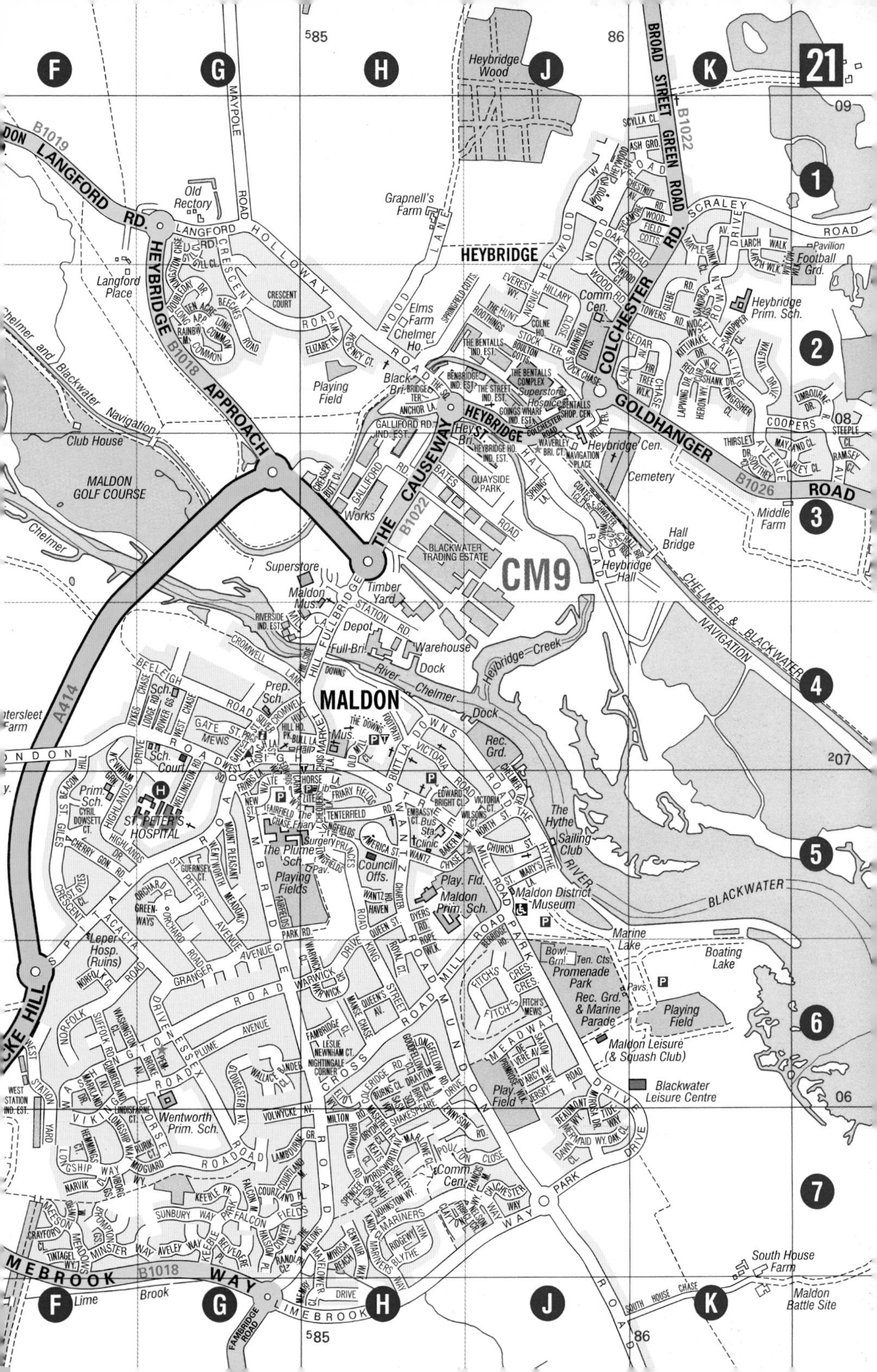
F
G
H
J
K
585
86
09
1
2
08
3
4
207
5
6
06
7
Heybridge Wood
BROAD STREET GREEN ROAD
B1022
B1019
LANGFORD RD.
MAYPOLE ROAD
Old Rectory
LANGFORD RD
HOLLOWAY ROAD
CRESCENT
Grapnell's Farm
WOOD LANE
HEYBRIDGE
Langford Place
HEYBRIDGE APPROACH
B1018
CRESCENT COURT
Elms Farm
Chelmer Ho.
Chelmer and Blackwater Navigation
Club House
MALDON GOLF COURSE
Playing Field
Black Bri.
ANCHOR LA.
THE CAUSEWAY
HEYBRIDGE ST.
Hey Bri.
GALLIFORD RD. IND. EST.
Works
THE BENTALLS IND. EST.
THE BENTALLS COMPLEX
Superstore
Hospice
BENTALLS SHOP. CEN.
COLCHESTER RD.
GOLDHANGER ROAD
B1026
SCRALEY ROAD
Pavilion
Football Grd.
Heybridge Prim. Sch.
Comm. Cen.
Heybridge Cen.
Cemetery
QUAYSIDE PARK
BATES ROAD
BLACKWATER TRADING ESTATE
CM9
Middle Farm
Hall Bridge
Heybridge Hall
CHELMER & BLACKWATER NAVIGATION
Superstore
Maldon Mus.
Timber Yard
STATION RD.
Depot
Full Bri.
Warehouse
Dock
RIVERSIDE IND. EST.
CROMWELL LANE
Heybridge Creek
River Chelmer
Dock
MALDON
Prep. Sch.
Sch.
Mus.
Rec. Grd.
A414
LONDON ROAD
Prim. Sch.
ST. PETER'S HOSPITAL
Court
The Plume Sch.
Playing Fields
Surgery
Council Offs.
Bus Sta.
Clinic
Play. Fld.
Maldon Prim. Sch.
The Hythe
Sailing Club
Maldon District Museum
RIVER BLACKWATER
Marine Lake
Boating Lake
Bowl. Grn.
Ten. Cts.
Promenade Park
Rec. Grd. & Marine Parade
Pavs.
Playing Field
Maldon Leisure (& Squash Club)
Blackwater Leisure Centre
Leper Hosp. (Ruins)
Play Field
Wentworth Prim. Sch.
WEST STATION IND. EST.
Comm. Cen.
PARK DRIVE
South House Farm
Maldon Battle Site
SOUTH HOUSE CHASE
LIMEBROOK WAY
Lime Brook
FAMBRIDGE ROAD
MUNDON ROAD
ROAD

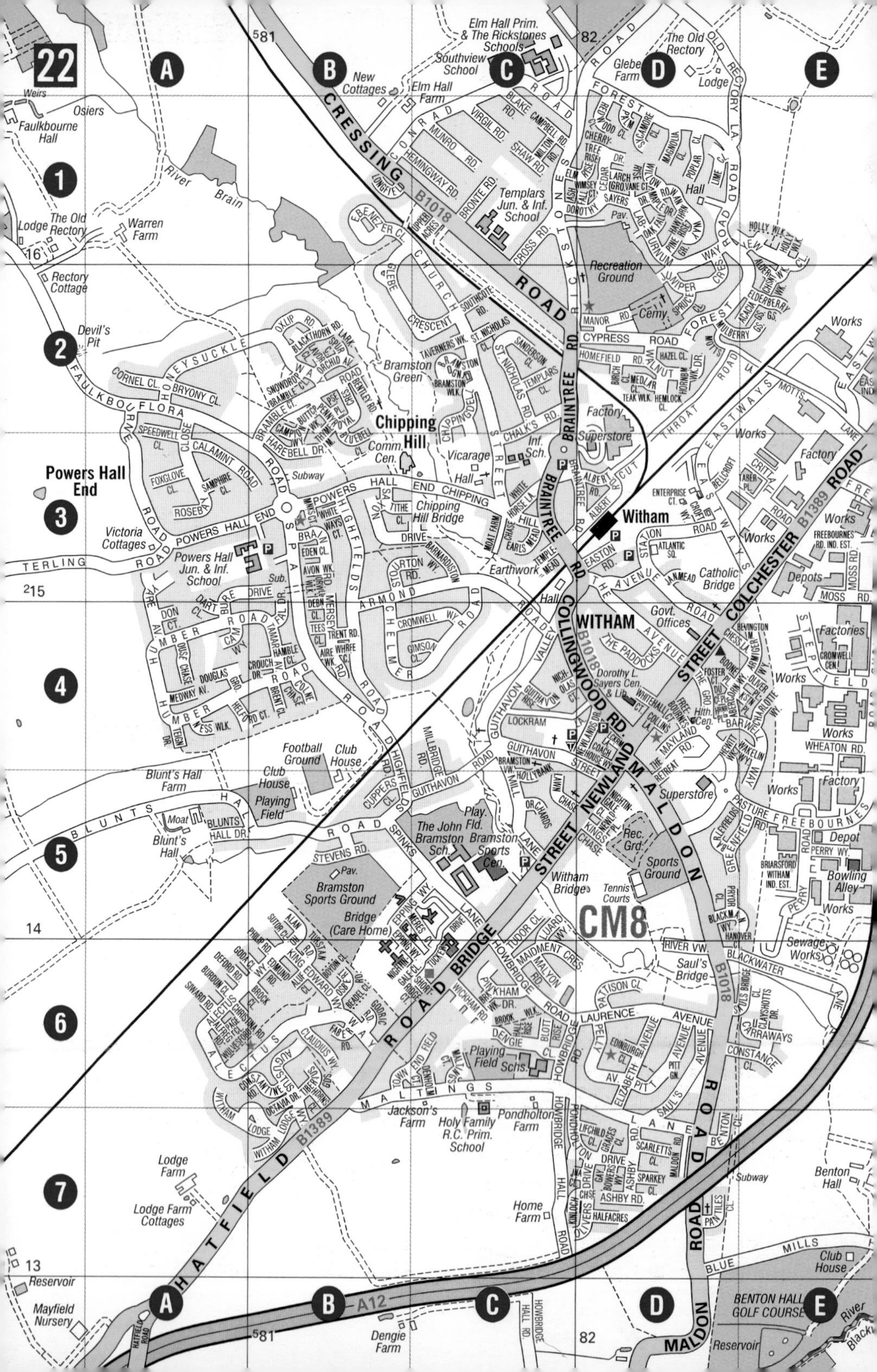
22
A
B
C
D
E
1
2
3
4
5
6
7
581
82
215
14
13
16
Weirs
Osiers
Faulkbourne Hall
River Brain
Lodge
The Old Rectory
Warren Farm
Rectory Cottage
Devil's Pit
FAULKBOURNE ROAD
Powers Hall End
Victoria Cottages
TERLING ROAD
POWERS HALL END
Powers Hall Jun. & Inf. School
Elm Hall Prim. & The Rickstones Schools
Southview School
New Cottages
Elm Hall Farm
Glebe Farm
The Old Rectory
Lodge
CRESSING ROAD
B1018
Templars Jun. & Inf. School
Recreation Ground
Cemy.
RICKSTONES RD.
FOREST ROAD
OLD RECTORY LA.
CYPRESS ROAD
HOMEFIELD RD.
Bramston Green
Chipping Hill
Comm. Cen.
Vicarage
Hall
Inf. Sch.
Factory
Superstore
Subway
POWERS HALL END CHIPPING
Chipping Hill Bridge
Earthwork
BRAINTREE RD.
Witham
WITHAM
Catholic Bridge
Govt. Offices
THE AVENUE
COLLINGWOOD RD.
COLCHESTER ROAD
B1389
Works
Factory
Depots
Factories
Dorothy L. Sayers Cen. & Lib.
GUITHAVON RD.
LOCKRAM
NEWLAND STREET
MALDON ROAD
Superstore
Football Ground
Club House
Blunt's Hall Farm
Playing Field
BLUNTS HALL ROAD
Moat
Blunt's Hall
The John Bramston Sch.
Play. Fld.
Bramston Sports Cen.
Rec. Grd.
Sports Ground
Witham Bridge
Tennis Courts
CM8
Bramston Sports Ground
Bridge (Care Home)
Pav.
STEVENS RD.
SPINKS LANE
BRIDGE ROAD
Depot
Bowling Alley
BRIARSFORD WITHAM IND. EST.
Sewage Works
Saul's Bridge
BLACKWATER LANE
RIVER VW.
LAURENCE AVENUE
Playing Field
Schs.
MALTINGS LANE
Jackson's Farm
Holy Family R.C. Prim. School
Pondholton Farm
HATFIELD ROAD
Lodge Farm
Lodge Farm Cottages
Home Farm
HOWBRIDGE HALL ROAD
Subway
Benton Hall
Reservoir
Mayfield Nursery
BLUE MILLS
Club House
BENTON HALL GOLF COURSE
A12
Dengie Farm
MALDON ROAD
Reservoir
River Blackwater

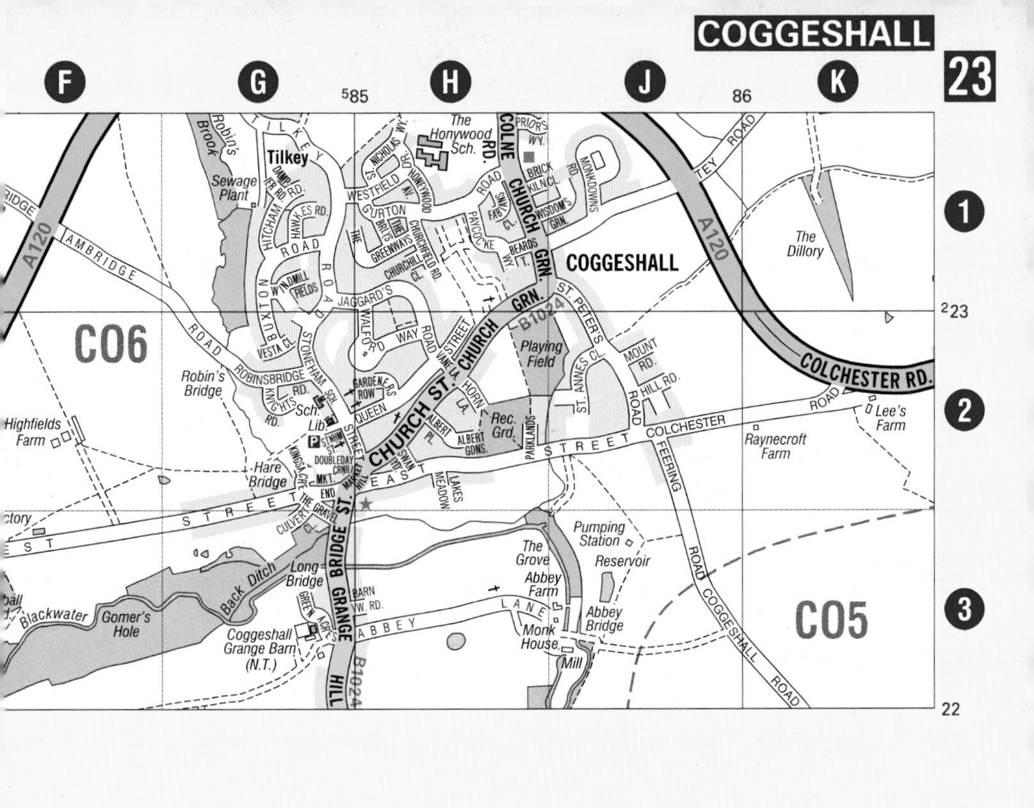
F
G
H
J
K
585
86
223
22
1
2
3
A120
AMBRIDGE ROAD
Robin's Brook
Sewage Plant
Tilkey
TILKEY ROAD
HITCHAM
HAWKES RD.
ROAD
WINDMILL FIELDS
BUXTON
VESTA CL.
STONEHAM ST.
ROBINSBRIDGE RD.
KINGS HTS
Sch.
Lib.
The Honywood Sch.
ST. NICHOLAS WY.
WESTFIELD
HONEYWOOD
GURTON
THE BRITS
GREENWAYS
CHURCHFIELD RD.
CHURCHILL CL.
THE
JAGGARD'S
WALFORD WAY
ROAD
GARDENERS ROW
QUEEN
STREET
VANE LA.
CHURCH ST.
CHURCH GRN.
COLNE RD.
PRIOR'S WY.
BRICK KILN CL.
WISDOM'S GRN.
BEARDS T.
PAYCOCKE
SNOWCROP RD
MONKDOWNS
COGGESHALL
B1024
Playing Field
ST. PETER'S
ST. ANNES CL.
MOUNT RD.
HILL RD.
HORN LA.
ALBERT PL.
ALBERT GDNS.
Rec. Grd.
PARKLANDS
STREET
COLCHESTER
ROAD
FEERING
COLCHESTER RD.
TEY ROAD
The Dillory
Lee's Farm
Raynecroft Farm
Highfields Farm
Robin's Bridge
Hare Bridge
KINGSGATE
DOUBLEDAY CRNR.
MKT. END
MARKET HILL
EAST
STREET
LAKES MEADOW
THE GRAVEL
CULVERT CL.
BRIDGE ST.
GRANGE HILL
Long Bridge
Back Ditch
Blackwater
Gomer's Hole
Coggeshall Grange Barn (N.T.)
GREEN ACRES
BARN VW. RD.
ABBEY LANE
The Grove
Abbey Farm
Pumping Station
Reservoir
Abbey Bridge
Monk House
Mill
ROAD
COGGESHALL ROAD
CO5
CO6

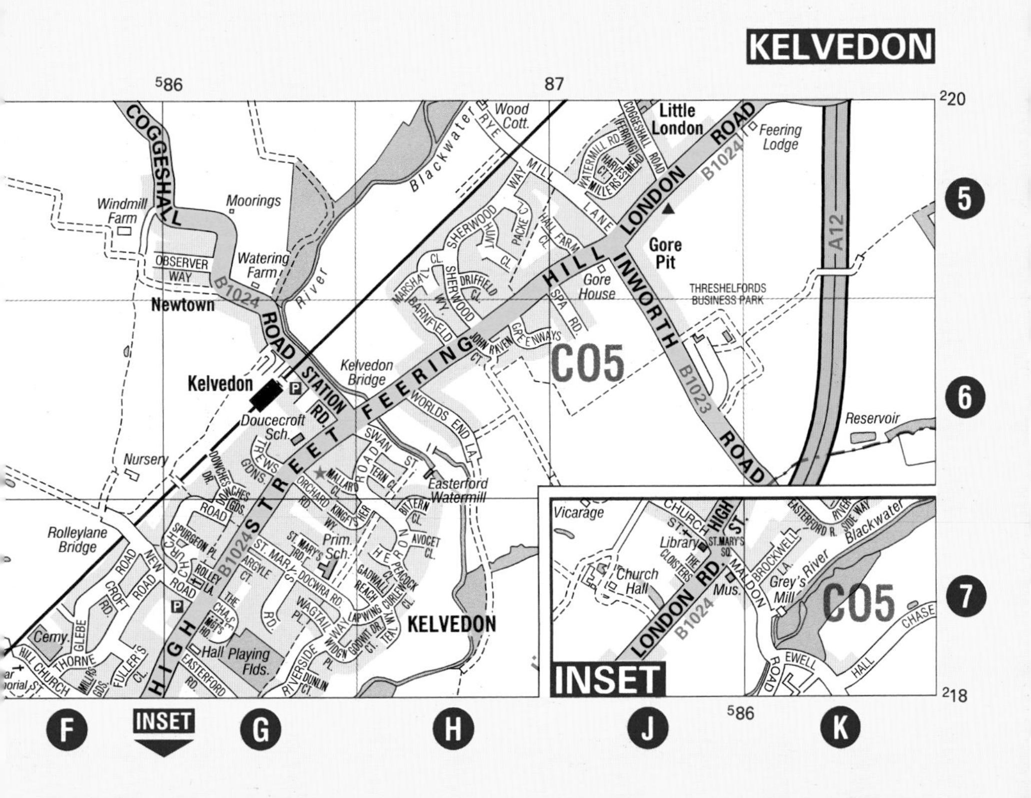
KELVEDON
586
87
220
218
5
6
7
COGGESHALL ROAD
Windmill Farm
Moorings
OBSERVER WAY
Watering Farm
B1024
Newtown
River Blackwater
Wood Cott.
RYE MILL
Little London
COGGESHALL ROAD
FEERING
WATERMILL RD
HARVEST CT.
MILLERS MEAD
MILL LANE
Feering Lodge
LONDON ROAD
B1024
Gore Pit
A12
SHERWOOD
HUNT CL.
PACKE CL.
HALL FARM CL.
WAY
MARSHALL CL.
SHERWOOD WY.
DRIFFIELD CL.
BARNFIELD
HILL
Gore House
INWORTH
SPA RD.
THRESHELFORDS BUSINESS PARK
JOHN RAVEN CT.
GREENWAYS
FEERING
CO5
B1023
ROAD
Kelvedon
STATION RD.
Kelvedon Bridge
Doucecroft Sch.
WORLDS END LA.
Reservoir
Nursery
TREWS GDNS.
DOWCHES DR.
DOWCHES GDS.
ROAD
STREET
SWAN ROAD
SWAN ST.
TERN CL.
MALLARD
ORCHARD RD.
KING'S WY.
HERON
BITTERN CL.
AVOCET CL.
Easterford Watermill
Rolleylane Bridge
SPURGEON PL.
ROLLEY LA.
CHURCH ROAD
NEW ROAD
ST. MARY'S RD.
ARGYLE CT.
Prim. Sch.
DOCWRA RD.
GADWALL REACH
PEACOCK CL.
CURLEW CL.
LAPWING DR.
GOLDWIT CT.
WAGTAIL PL.
RIVERSIDE WAY
WIDGEON PL.
DUNLIN CT.
KELVEDON
CROFT RD.
GLEBE
Cemy.
HILL CHURCH ST.
THORNE
MILLPIPS GDS.
FULLER'S CL.
THE CHASE
HIGH
Hall
Playing Flds.
EASTERFORD RD.
Vicarage
CHURCH ST.
HIGH ST.
Library
THE CLOISTERS
ST. MARY'S SQ.
Church Hall
Mus.
LONDON RD.
B1024
MALDON
BROCKWELL LA.
EASTERFORD R.
RIVER SIDE WAY
Blackwater
River
Grey's Mill
CO5
EWELL HALL CHASE
ROAD
INSET
F
G
H
J
K
586

INDEX TO STREETS

Including Industrial Estates and a selection of Subsidiary Addresses.

HOW TO USE THIS INDEX

1. Each street name is followed by its Posttown or Postal Locality and then by its map reference; e.g. Abbey La. *Cogg* —3H **23** is in the Coggeshall Postal Locality and is to be found in square 3H on page **23**. The page number being shown in bold type.
A strict alphabetical order is followed in which Av., Rd., St., etc. (though abbreviated) are read in full and as part of the street name; e.g. Ashby Rd. appears after Ash Bungalows but before Ash Clo.

2. Streets and a selection of Subsidiary names not shown on the Maps, appear in the index in *Italics* with the thoroughfare to which it is connected shown in brackets; e.g. Bergen Ct. *Mal* —7G **21** (off Longship Way)

GENERAL ABBREVIATIONS

All : Alley
App : Approach
Arc : Arcade
Av : Avenue
Bk : Back
Boulevd : Boulevard
Bri : Bridge
B'way : Broadway
Bldgs : Buildings
Bus : Business
Cvn : Caravan
Cen : Centre
Chu : Church
Chyd : Churchyard
Circ : Circle
Cir : Circus
Clo : Close
Comn : Common

Cotts : Cottages
Ct : Court
Cres : Crescent
Cft : Croft
Dri : Drive
E : East
Embkmt : Embankment
Est : Estate
Fld : Field
Gdns : Gardens
Gth : Garth
Ga : Gate
Gt : Great
Grn : Green
Gro : Grove
Ho : House
Ind : Industrial
Junct : Junction

La : Lane
Lit : Little
Lwr : Lower
Mc : Mac
Mans : Mansions
Mkt : Market
Mdw : Meadow
M : Mews
Mt : Mount
N : North
Pal : Palace
Pde : Parade
Pk : Park
Pas : Passage
Pl : Place
Quad : Quadrant
Res : Residential

Ri : Rise
Rd : Road
Shop : Shopping
S : South
Sq : Square
Sta : Station
St : Street
Ter : Terrace
Trad : Trading
Up : Upper
Va : Vale
Vw : View
Vs : Villas
Wlk : Walk
W : West
Yd : Yard

POSTTOWN AND POSTAL LOCALITY ABBREVIATIONS

Bick : Bicknacre
Bla N : Black Notley
Boc : Bocking
Bore : Boreham
Brain : Braintree
Broom : Broomfield
Chel V : Chelmer Village
Chelm : Chelmsford
Cogg : Coggeshall
Cres : Cressing
Dan : Danbury

E Han : East Hanningfield
Ed C : Edney Common
Fee : Feering
Fry : Fryerning
Gall : Galleywood
Gt Bad : Great Baddow
Gt Tot : Great Totham
Hat P : Hatfield Peverel
H'bri : Heybridge
Hghwd : Highwood
H Grn : Howe Green

Ing : Ingatestone
K'dn : Kelvedon
L Bad : Little Baddow
L Walt : Little Waltham
Mal : Maldon
Marg : Margaretting
Mill G : Mill Green
Mount : Mountnessing
Rayne : Rayne
Rox : Roxwell
S'don : Sandon

Spri : Springfield
Stock : Stock
W Han : West Hanningfield
Wid : Widford
Wthm : Witham
Wdhm M : Woodham Mortimer
Wdhm W : Woodham Walter
Writ : Writtle

INDEX TO STREETS

Abbess Clo. *Chelm* —3J **9**
Abbey Fields. *E Han* —7D **18**
Abbey La. *Cogg* —3H **23**
Abbotts Pl. *Chelm* —2D **10**
Abercorn Ho. *Bore* —4F **7**
Abercorn Way. *Wthm* —4D **22**
Acacia Dri. *Mal* —5F **21**
Acacia Gdns. *Wthm* —2E **22**
Achilles Way. *Brain* —2H **3**
Acorn Av. *Brain* —5D **2**
Acres End. *Chelm* —1J **9**
Admirals Wlk. *Chelm* —2K **9**
Aetheric Rd. *Brain* —4E **2**
Aire Wlk. *Wthm* —4B **22**
Ajax Clo. *Brain* —2H **3**
Alamein Rd. *Chelm* —6E **4**
Alan Rd. *Wthm* —5B **22**
Albany Clo. *Chelm* —7D **4**
Albemarle Gdns. *Brain* —2J **3**
Albert Gdns. *Cogg* —2H **23**
Albert Pl. *Cogg* —2H **23**
Albert Rd. *Brain* —4G **3**
Albert Rd. *Wthm* —3D **22**
Albion Ct. *Chelm* —4A **10**
Aldeburgh Way. *Chelm* —7J **5**
Alderbury Lea. *Bick* —5H **19**
Alder Dri. *Chelm* —7B **10**
Alder Wlk. *Wthm* —2E **22**
Aldridge Clo. *Chelm* —1G **11**
Alectus Way. *Chelm* —6A **22**
Alexander M. *S'don* —4K **17**
Alexander Rd. *Brain* —3E **2**
Alfreg Rd. *Wthm* —6A **22**
Allens Clo. *Bore* —3G **7**
All Saints Clo. *Chelm* —1E **10**
Alma Dri. *Chelm* —3K **9**
Alpha Clo. *Brain* —5G **3**
Aluf Clo. *Wthm* —6B **22**

Alverton Clo. *Bla N* —1A **2**
Alyssum Clo. *Chelm* —6B **6**
Ambridge Rd. *Cogg* —1F **23**
America St. *Mal* —5H **21**
Amoss Rd. *Chelm* —5F **11**
Anchor La. *H'bri* —2H **21**
Anchor St. *Chelm* —4B **10**
Anderson Av. *Chelm* —7E **4**
Andrew Clo. *Brain* —2F **3**
Andrews Pl. *Chelm* —3K **9**
Angle Side. *Brain* —5H **3**
Anglia Way. *Brain* —5H **3**
Anson Way. *Brain* —3J **3**
Anvil Way. *Spri* —4K **5**
Apple Ct. *Chelm* —3K **9**
Appletree Wlk. *Brain* —6G **3**
Apple Way. *Writ* —5F **9**
Arbour La. *Chelm* —1D **10**
Arbutus Clo. *Chelm* —7B **10**
Archers Way. *Chelm* —4C **16**
Argyle Ct. *K'dn* —7G **23**
Argyll Rd. *Chelm* —7B **6**
Armiger Way. *Wthm* —4E **22**
Armonde Clo. *Bore* —4F **7**
Armond Rd. *Wthm* —4B **22**
Armstrong Clo. *Dan* —5H **13**
Army & Navy Flyover. *Chelm*
—4C **10**
Arnhem Gro. *Brain* —2E **2**
Arnhem Rd. *Chelm* —6D **4**
Arnolds Farm La. *Mount* —7A **20**
Arnold Way. *Chelm* —3C **16**
Arthur Ct. *Chelm* —7E **4**
Arthy Clo. *Hat P* —1J **7**
Arun Clo. *Chelm* —7H **5**
Ash Bungalows. *Brain* —4E **2**
Ashby Rd. *Wthm* —7D **22**
Ash Clo. *Hat P* —1J **7**

Ash Fall. *Wthm* —1C **22**
Ashford Rd. *Chelm* —3J **9**
Ash Gro. *Chelm* —6C **10**
Ash Gro. *Mal* —1K **21**
Ashley Grn. *E Han* —7D **18**
Ashton Pl. *Chelm* —2G **11**
Ash Tree Clo. *Chelm* —3K **9**
Ash Tree Cres. *Chelm* —3K **9**
Ashurst Dri. *Chelm* —5J **5**
Aster Ct. *Chelm* —6A **6**
Atholl Rd. *Chelm* —7A **6**
Atlantic Sq. *Wthm* —3D **22**
Attwoods Clo. *Chelm* —3B **16**
Aubrey Clo. *Chelm* —5G **5**
Auckland Clo. *Chelm* —7D **4**
Augustine Way. *Bick* —4H **19**
Augustus Way. *Wthm* —6B **22**
Austen Clo. *Brain* —7G **3**
Aveley Way. *Mal* —7G **21**
Avenue Rd. *Chelm* —6D **10**
Avenue Rd. *Ing* —4B **20**
Avenue Rd. *Wthm* —3D **22**
Avenue, The. *Brain* —4F **3**
Avenue, The. *Dan* —6H **13**
Avenue, The. *Wthm* —3D **22**
Avila Chase. *Gall* —5B **16**
Avocet Clo. *K'dn* —7H **23**
Avocet Way. *H'bri* —2K **21**
Avon Rd. *Chelm* —7B **4**
Avon Wlk. *Wthm* —3B **22**
Ayletts. *Broom* —1G **5**
Azalea Ct. *Chelm* —7A **6**

Back La. *Chelm* —3J **5**
Back La. *E Han* —7C **18**
Back La. *Ing* —2B **20**
Back La. *L Walt* —1J **5**

Back Rd. *Writ* —4D **8**
Baddow Hall Av. *Chelm* —6G **11**
Baddow Hall Cres. *Chelm* —6G **11**
Baddow Pl. Av. *Chelm* —7G **11**
Baddow Rd. *Chelm* —4B **10**
(in three parts)
Badgers Clo. *Chelm* —5B **16**
Bag La. *Ing* —3A **20**
Bailey Bri. Rd. *Brain* —3E **2**
Baker Av. *Hat P* —2J **7**
Baker M. *Mal* —5H **21**
Baker's La. *Bla N* —3B **2**
Baker's La. *Dan* —6G **13**
Bakers La. *Ing* —3C **20**
Bakers La. *W Han* —7B **15**
Bakers M. *Ing* —3C **20**
Baker St. *Chelm* —4A **10**
Bankart La. *Chelm* —1F **11**
Bank St. *Brain* —4F **3**
Barbrook Way. *Bick* —5G **19**
Barclay Clo. *Gt Bad* —6G **11**
Bardell Clo. *Chelm* —6E **4**
Barkis Clo. *Chelm* —5C **4**
Barleyfields. *Wthm* —5D **22**
Barley Mead. *Dan* —7K **13**
Barlow's Reach. *Chelm* —1G **11**
Barnaby Rudge. *Chelm* —5E **4**
Barnardiston Way. *Wthm* —3C **22**
Barnard Rd. *Gall* —4B **16**
Barnes Mill Rd. *Chelm* —3E **10**
(in two parts)
Barnfield. *Fee* —6H **23**
Barnfield Cotts. *H'bri* —2J **21**
Barnfield M. *Chelm* —6F **5**
Barn Grn. *Chelm* —4K **5**
Barn Mead. *Brain* —5K **3**
Barn Vw. Rd. *Cogg* —3H **23**
Barrack Sq. *Chelm* —3B **10**

Lyndhurst Dri. Bick —5H 19
Lynmouth Av. Chelm —5C 10
Lynmouth Gdns. Chelm —4C 10
Lynton Dri. Chelm —7K 5
Lyon Clo. Chelm —3B 16
Lyons Ct. Chelm —7K 5
Lyster Av. Chelm —6G 11

Mace Wlk. Chelm —2K 9
Macmillan Ct. Chelm —4B 10
(off Godfreys M.)
Madeline Pl. Chelm —6D 4
Magnolia Clo. Chelm —7B 10
Magnolia Clo. Wthm —1D 22
Magwitch Clo. Chelm —5E 4
Maidment Cres. Wthm —6C 22
Main Rd. Bick —6H 19
Main Rd. Bore —5D 6
Main Rd. L Walt & Broom —5G 5
Main Rd. Marg —6D 14
Main Rd. S'don —6B 12
(in two parts)
Makemores. Rayne —5A 2
Maldon Rd. Dan —6G 13
(Danbury)
Maldon Rd. Dan —2K 19
(Gay Bowers)
Maldon Rd. Gt Bad —6F 11
Maldon Rd. Hat P —1J 7
Maldon Rd. K'dn —7J 23
Maldon Rd. Lang —1F 21
Maldon Rd. Marg —6E 14
Maldon Rd. S'don —6A 12
Maldon Rd. Wthm —5D 22
Mallard Clo. Bla N —3B 2
Mallard Clo. K'dn —6G 23
Mallard Rd. Chelm —1A 16
Mallows, The. Mal —7H 21
Maltese Rd. Chelm —2A 10
Maltings Chase. Ing —4C 20
Maltings Ct. Wthm —6C 22
Maltings La. Wthm —6B 22
Maltings Rd. Chelm —1G 17
Maltings, The. Rayne —5A 2
Maltings Vw. Brain —4G 3
Malvern Clo. Chelm —6C 4
Malyon Rd. Wthm —6C 22
Mandeville Way. Broom —1G 5
Manor Dri. Chelm —6F 11
Manor Rd. Chelm —4B 10
Manor Rd. Wthm —2D 22
Manor St. Brain —4F 3
Manse Chase. Mal —6H 21
Mansfields. Writ —4D 8
Maple Av. Brain —5D 2
Maple Av. H'bri —1K 21
Maple Dri. Chelm —7B 10
Maple Dri. Wthm —1D 22
Marconi Rd. Chelm —2B 10
Margaret's Ho. K'dn —7G 23
Margaretting Rd. Gall —5J 15
Margaretting Rd. Writ —2E 14
Marigold Clo. Chelm —6A 6
Marina Rd. Hat P —1J 7
Mariners Way. Mal —7H 21
Market End. Cogg —2G 23
Market Hill. Cogg —2G 23
Market Hill. Mal —4H 21
Market Pl. Brain —4F 3
Market Pl. Ing —3C 20
Market Rd. Chelm —3B 10
Market St. Brain —4F 3
Markland Clo. Chelm —3C 16
Markland Dri. Mal —6F 21
Marks Clo. Ing —6A 20
Marks Gdns. Brain —5J 3
Marks Roundabout. Brain —4K 3
Marlborough Rd. Brain —3G 3
Marlborough Rd. Chelm —5A 10
Marlowe Clo. Brain —7G 3
Marlowe Clo. Mal —7H 21
Marney Clo. Chelm —5E 10
Marshall Clo. Fee —5H 23
Marshalls Dri. Brain —6E 2
Marshalls Rd. Brain —6E 2
Marsh La. Mount —7B 20
Marston Beck. Chelm —3G 11
Martingale Dri. Chelm —5A 6
Marvens. Chelm —3D 16
Mascalls, The. Chelm —5E 10
Mascalls Way. Chelm —5E 10
Masefield Rd. Brain —7F 3
Masefield Rd. Mal —7H 21
Mashbury Rd. Chig J —4A 4
Matfield Clo. Chelm —5J 5
Mayes La. Dan —7G 13
Mayes La. S'don —7A 12
Mayfield Rd. Writ —4E 8
Mayflower Dri. Mal —7H 21
Mayland Clo. H'bri —3K 21
Mayland Rd. Wthm —4D 22
Maylands Dri. Brain —7D 2
Mayne Crest. Chelm —5K 5
Maypole Rd. Mal & Lang —1G 21
Maysent Av. Brain —2F 3
May Wlk. Chelm —6C 10
Meadgate Av. Chelm —5D 10
Meadowside. Brain —2E 2
Meadowside. Chelm —1B 10
(Rectory La.)
Meadowside. Chelm —2C 10
(Springfield Rd.)
Meadows Shop. Cen., The. Chelm —3C 10
Meadows, The. Chelm —3C 10
(off High St. Chelmsford,)
Meadow Wlk. Chelm —3C 10
Mead Path. Chelm —5K 9
Meads Clo. Ing —3C 20
Meads, The. Ing —3C 20
Meadway. Mal —6J 21
Mearns Pl. Chelm —1F 11
Medlar Clo. Wthm —2D 22
Medley Rd. Rayne —5A 2
Medway Av. Wthm —4A 22
Medway Clo. Chelm —1H 9
Meeson Meadows. Mal —7F 21
Meg Way. Brain —5H 3
Melba Ct. Writ —4G 9
Melbourne Av. Chelm —7C 4
Melbourne Ct. Chelm —7D 4
Melbourne Pde. Chelm —7D 4
Mellor Clo. Ing —3C 20
Memory Clo. Mal —7H 21
Mendip Rd. Chelm —6C 4
Menish Way. Chelm —3G 11
Meon Clo. Chelm —6H 5
Mercia Clo. Chelm —1G 17
Meres Clo. Wthm —5C 22
Merlin Pl. Chelm —7E 4
Mermaid Way. Mal —7J 21
Mersey Fleet Way. Brain —6J 3
Mersey Rd. Wthm —4B 22
Mersey Way. Chelm —7B 4
Meteor Way. Chelm —3K 9
Mews Ct. Chelm —4B 10
Micawber Way. Chelm —5C 4
Middle King. Brain —6K 3
Midguard Way. Mal —7G 21
Milburn Cres. Chelm —4H 9
Mildmay Rd. Chelm —5B 10
Mildmays. Dan —5E 12
Millbridge Rd. Wthm —4C 22
Mill Ct. Brain —5H 3
Millennium Way. Brain —6J 3
Millers Cft. Gt Bad —7F 11
Millers Gdns. K'dn —7F 23
Millers Mead. Fee —5J 23
Millers M. Ing —3D 20
Millers, The. Broom —1F 5
Millfields. Writ —4E 8
Mill Fields. Dan —7J 13
Mill Grn. Rd. Mill G & Fry —1A 20
Mill Hill. Brain —5H 3
Mill Hill. Chelm —4K 15
Milligans Chase. Gall —5B 16
Mill La. Broom —3G 5
(in three parts)
Mill La. Dan —6H 13
Mill La. Fry —1B 20
Mill La. L Bad —2G 13
Mill La. Mal —4G 21
Mill La. Wthm —5C 22
Mill Pk. Dri. Brain —6G 3
Mill Rd. Mal —6H 21
Millson Bank. Chelm —1G 11
Mill Vue Rd. Chelm —3F 11
Milton Av. Brain —7G 3
Milton Pl. Chelm —7E 4
Milton Rd. Mal —7H 21
Milton Rd. Wthm —1C 22
Mimosa Clo. Chelm —6A 6
Minster Way. Mal —7F 21
Mirosa Dri. Mal —6J 21
Mirosa Reach. Mal —7H 21
Mitton Va. Chelm —3F 11
Moat Farm Chase. Wthm —3C 22
Molrams La. S'don —7H 11
Monkdowns Rd. Cogg —1J 23
Monks Ct. Wthm —3B 22
Monks Mead. Bick —4H 19
Montgomery Clo. Chelm —5K 5
Montrose Rd. Chelm —1F 11
Moor Hall La. Bick —5G 19
Moran Av. Chelm —5G 5
Moretons. Gall —4B 16
Morris Rd. Chelm —3D 10
Mortimer Rd. Hat P —1J 7
Moss M. Mal —1K 21
Moss Path. Gall —3C 16
Moss Rd. Wthm —3E 22
Moss Wlk. Chelm —7B 10
Motts Clo. Brain —3E 2
Motts La. Wthm —2D 22
(in two parts)
Moulsham Chase. Chelm —5C 10
Moulsham Dri. Chelm —5B 10
Moulsham St. Chelm —5A 10
(in two parts)
Moulsham Thrift. Chelm —7A 10
Mountbatten Rd. Brain —3H 3
Mountbatten Way. Chelm —5J 5
Mounthill Av. Chelm —2D 10
Mountnessing Rd. Bill —7E 20
Mountney Clo. Ing —6A 20
Mt. Pleasant. Mal —5G 21
Mount Rd. Brain —4G 3
Mount Rd. Cogg —2J 23
Mowden Hall La. Hat P —3K 7
Mulberry Gdns. Wthm —2D 22
Mulberry Way. Chelm —1D 10
Mullins Rd. Brain —1F 3
Mundon Rd. Brain —6K 3
Mundon Rd. Mal —6H 21
Munro Rd. Wthm —1C 22
Murchison Clo. Chelm —7D 4
Murray Clo. Brain —1F 3
Murrell Lock. Chelm —1G 11

Nabbott Rd. Chelm —3J 9
Nalla Gdns. Chelm —6F 5
Napier Ct. Chelm —7D 4
Narvik Clo. Mal —7F 21
Nash Dri. Broom —1F 5
Nathan's La. Ed C —1A 14
Navigation Pl. H'bri —3J 21
Navigation Rd. Chelm —3C 10
Nayling Rd. Brain —5C 2
Nelson Cres. Mal —7J 21
Nelson Gdns. Brain —3J 3
Nelson Gro. Chelm —2K 9
Ness Wlk. Wthm —4A 22
New Bowers Way. Chelm —6A 6
Newcourt Rd. Chelm —2D 10
New Dukes Way. Chelm —1F 11
New England Clo. Bick —5H 19
Newland Pl. Wthm —5D 22
Newland Precinct. Wthm —4D 22
(off Newland St.)
Newlands Dri. Wthm —4D 22
Newland St. Wthm —5D 22
New Lodge Chase. L Bad —2D 12
New London Rd. Chelm —5A 10
(in two parts)
New Meadgate Ter. Chelm —5D 10
New Nabbotts Way. Chelm —5K 5
Newnham Clo. Brain —5E 2
Newnham Grn. Mal —4F 21
Newport Clo. Chelm —7H 11
New Rd. Broom —3G 5
New Rd. Gt Bad —7F 11
New Rd. Hat P —1J 7
New Rd. Ing —2D 20
New Rd. K'dn —7F 23
New Rd. Rayne —6A 2
New St. Brain —4F 3
(in two parts)
New St. Chelm —3B 10
New St. Mal —5G 21
Newton Clo. Brain —7F 3
New Writtle St. Chelm —4A 10
Nicholas Clo. Writ —5F 9
Nicholas Ct. Chelm —6C 4
(Darnay Ri.)
Nicholas Ct. Chelm —4A 10
(Up. Bridge Rd.)
Nicholas Ct. Wthm —4C 22
Nicholson Pl. E Han —7D 18
Nickleby Rd. Chelm —5C 4
Nightingale Clo. Wthm —6B 22
(Epping Way)
Nightingale Clo. Wthm —5D 22
(Newland St.)
Nightingale Corner. Mal —6H 21
Nineacres. Brain —6G 3
Noakes Av. Chelm —1E 16
Norfolk Clo. Mal —6F 21
Norfolk Dri. Chelm —5F 5
Norfolk Gdns. Brain —3H 3
Norfolk Rd. Mal —6F 21
Norris Clo. Brain —2J 3
North Av. Chelm —7E 4
North Ct. Ing —4C 20
North Dell. Chelm —5J 5
North Dri. Chelm —6F 11
North Hill. L Bad —6K 7
North St. Mal —5J 21
Northumberland Clo. Brain —3H 3
Northumberland Ct. Chelm —1F 11
Norton Rd. Chelm —2A 10
Norton Rd. Ing —3C 20
Notley Grn. Bla N —2A 2
Notley Rd. Brain —5F 3
Nursery Dri. Brain —2G 3
Nursery La. Dan —5H 13
Nursery Rd. Chelm —5B 10

Oak Bungalows. Brain —4E 2
Oak Clo. Mal —7J 21
Oak Fall. Wthm —1D 22
Oaklands Clo. Brain —7D 2
Oaklands Cres. Chelm —5B 10
Oaklands Way. L Bad —3G 13
Oaklea Av. Chelm —1E 10
Oakley Rd. Brain —1F 3
Oak Lodge Tye. Spri —6B 6
Oak Rd. H'bri —1J 21
Oaks Cotts. Bore —4F 7
Observer Way. K'dn —5G 23
Ockelford Av. Chelm —7E 4
Octavia Dri. Wthm —7B 22
Oldbury Av. Chelm —6F 11
Old Chu. Rd. E Han —7D 18
Old Chu. Rd. Mount —7A 20
(in three parts)
Old Ct. Rd. Chelm —2D 10
Old Forge Rd. Bore —4F 7
Old Mill Clo. Mal —4H 21
Old Rectory La. Wthm —1D 22
Old Roxwell Rd. Writ —1D 8
Old School Ct. Hat P —2K 7
Old Southend Rd. H Grn —5K 17
Oliver Pl. Wthm —4E 22
Olivers Dri. Wthm —7D 22
Oliver Way. Chelm —6D 4
Ongar Rd. Ing & Cook G —5A 8
Ongar Rd. Writ —5C 8
Orange Tree Clo. Chelm —7C 10
Orchard Clo. Chelm —1C 16
Orchard Clo. Hat P —1J 7
Orchard Clo. Mal —5G 21
Orchard Clo. Writ —4F 9
Orchard Dri. Brain —6G 3
Orchard Rd. K'dn —6G 23
Orchard Rd. Mal —5G 21
Orchards. Wthm —5C 22
Orchard St. Chelm —4B 10
Orchid Av. Wthm —2B 22
Orford Cres. Chelm —7H 5
Orion Way. Brain —3H 3
Orton Clo. Marg —6E 14
Orwell Wlk. Wthm —3B 22
Osbert Rd. Wthm —6B 22

Osea Way. *Chelm* —7A **6**
Osprey Way. *Chelm* —1A **16**
Ouse Chase. *Wthm* —4A **22**
Oxford Ct. *Chelm* —1E **10**
Oxlip Rd. *Wthm* —2B **22**
Oxney Ho. *Writ* —4D **8**
Oxney Mead. *Writ* —5D **8**
Oyster Pl. *Chelm* —1F **11**

Packe Clo. *Fee* —5H **23**
Paddock Dri. *Chelm* —5K **5**
Paddocks, The. *Ing* —4C **20**
Paddocks, The. *Wthm* —4D **22**
Padham's Grn. Rd. *Ing & CM13*
    —7C **20**
Page Clo. *Wthm* —6A **22**
Paignton Av. *Chelm* —7J **5**
Palm Clo. *Chelm* —7C **10**
Palm Clo. *Wthm* —1D **22**
Palmers Cft. *Chelm* —3G **11**
Palmerston Lodge. *Gt Bad* —6F **11**
Panfield La. *Brain* —3E **2**
Pantiles Clo. *Wthm* —7D **22**
Panton M. *Brain* —7G **3**
Pan Wlk. *Chelm* —7C **4**
Parade, The. *Chelm* —6F **5**
Paradise Rd. *Writ* —5F **9**
Park Av. *Chelm* —2K **9**
Parkdale. *Dan* —6E **12**
Park Dri. *Brain* —7G **3**
Park Dri. *Ing* —3D **20**
Park Dri. *Mal* —6J **21**
Parker Rd. *Chelm* —4C **10**
Parklands. *Brain* —7G **3**
Parklands. *Cogg* —2H **23**
Parklands Dri. *Chelm* —2C **10**
Parklands Way. *Gall* —4C **16**
Park Rd. *Chelm* —3A **10**
Park Rd. *Mal* —6G **21**
Park Vw. Cres. *Gt Bad* —1F **17**
Parkway. *Chelm* —2A **10**
Parr Clo. *Brain* —3K **3**
Parsonage Clo. *Chelm* —3F **5**
Parsonage La. *L Bad* —3F **13**
Parsonage La. *Marg* —7E **14**
Partridge Av. *Chelm* —7E **4**
Paschal Way. *Chelm* —5E **10**
Pasture Rd. *Wthm* —5E **22**
Patching Hall La. *Chelm* —4E **4**
Pattison Clo. *Wthm* —6D **22**
Pavitt Mdw. *Gall* —4C **16**
Pawle Clo. *Chelm* —6G **11**
Paycocke Way. *Cogg* —1H **23**
Payne Pl. *E Han* —7D **18**
Paynes La. *Bore* —4D **6**
Peacock Clo. *Brain* —6E **2**
Pearce Mnr. *Chelm* —5K **9**
Peartree Clo. *Brain* —6G **3**
Peartree La. *Dan* —3H **19**
Pease Pl. *E Han* —7D **18**
Pedlars Clo. *Dan* —7J **13**
Pedlars Path. *Dan* —7J **13**
Peel Cres. *Brain* —4E **2**
Peel Rd. *Chelm* —1E **10**
Pegasus Way. *Brain* —2E **2**
Peggotty Clo. *Chelm* —6E **4**
Pelly Av. *Wthm* —6D **22**
Pemberton Av. *Ing* —3C **20**
Pemberton Ct. *Ing* —3C **20**
Pembroke Av. *Mal* —6G **21**
Pembroke Pl. *Chelm* —5G **5**
    (in two parts)
Pennine Rd. *Chelm* —6C **4**
Penn M. *Brain* —7G **3**
Pennyroyal Cres. *Wthm* —2B **22**
Penny Royal Rd. *Dan* —7F **13**
Penny's La. *Marg* —6D **14**
Penrose Mead. *Writ* —5F **9**
Penshurst Pl. *Bla N* —2A **2**
Penticton Rd. *Brain* —5D **2**
Pentland Av. *Chelm* —6F **5**
Penzance Clo. *Chelm* —7K **5**
Peregrine Dri. *Chelm* —1A **16**
Perriclose. *Chelm* —5J **5**
Perrin Pl. *Chelm* —4A **10**
Perry Hill. *Chelm* —2D **10**
Perry Rd. *Wthm* —5E **22**
Perry Way. *Wthm* —5E **22**

Pertwee Dri. *Chelm* —7F **11**
Petersfield. *Chelm* —6G **5**
Petrebrook. *Chelm* —2G **11**
Petre Clo. *Ing* —5B **20**
Petrel Way. *Chelm* —7C **10**
Petunia Cres. *Chelm* —6A **6**
Petworth Clo. *Bla N* —1A **2**
Philip Rd. *Wthm* —6B **22**
Philips Clo. *Rayne* —5A **2**
Philips Rd. *Rayne* —5A **2**
Phillips Chase. *Brain* —2G **3**
Phipp Clo. *Broom* —6D **4**
Phoenix Gro. *Chelm* —5A **10**
Pickpocket La. *Brain* —2C **2**
    (in three parts)
Pickwick Av. *Chelm* —6C **4**
Pierrefitte Way. *Brain* —4E **2**
Pilgrim Clo. *Brain* —2F **3**
Pine Clo. *Ing* —3D **20**
Pine Dri. *Ing* —3D **20**
Pine Gro. *Wthm* —1D **22**
Pines Rd. *Chelm* —7C **4**
Pines, The. *Hat P* —1J **7**
Pinkham Dri. *Wthm* —6C **22**
Pintail Cres. *Bla N* —2B **2**
Pipchin Rd. *Chelm* —2K **9**
Piper's Tye. *Chelm* —3D **16**
Pitt Av. *Wthm* —6D **22**
Pitt Chase. *Gt Bad* —7E **10**
Pitt Grn. *Wthm* —6D **22**
Plains Fld. *Brain* —6K **3**
Plane Tree Clo. *Chelm* —7B **10**
Plantation Rd. *Bore* —4G **7**
Plover Wlk. *Chelm* —1B **16**
Plume Av. *Mal* —6G **21**
Plumptre La. *Dan* —1F **19**
Plumtree Av. *Chelm* —7F **11**
Plymouth Rd. *Chelm* —7K **5**
Pochard Way. *Bla N* —3B **2**
Pocklington Clo. *Chelm* —1G **11**
Pods Brook Rd. *Brain* —5D **2**
Pollards Grn. *Chelm* —3F **11**
Pondholton Dri. *Wthm* —7C **22**
Ponds Rd. *Chelm* —4B **16**
Poplar Clo. *Chelm* —7C **10**
Poplar Clo. *Ing* —5B **20**
Poplar Clo. *Wthm* —1D **22**
Poppy Grn. *Chelm* —6B **6**
Portland Clo. *Brain* —4H **3**
Portreath Pl. *Chelm* —5F **5**
Postman's La. *L Bad* —2G **13**
    (in two parts)
Post Office Rd. *Broom* —4G **5**
Post Office Rd. *Ing* —4C **20**
Potters Clo. *Dan* —7J **13**
Pottery La. *Chelm* —7F **5**
Poulton Clo. *Mal* —7H **21**
Pound Fields. *Writ* —5F **9**
Powers Hall End. *Wthm* —3A **22**
Poxon Ter. *K'dn* —7G **23**
Pratts Farm La. *L Walt* —1J **5**
Primrose Hill. *Chelm* —2K **9**
Primrose Pl. *Wthm* —2B **22**
Primrose Wlk. *Mal* —6J **21**
Primula Way. *Chelm* —6B **6**
Princes Rd. *Chelm* —6A **10**
Princes Rd. *Mal* —5H **21**
Princes St. *Mal* —4G **21**
Priors Way. *Cogg* —1H **23**
Priory Clo. *Chelm* —3J **9**
Priory La. *Bick* —5G **19**
Priory Rd. *Bick* —5G **19**
Priory, The. *Writ* —4F **9**
Private Rd. *Chelm* —2H **15**
Progress Ct. *Brain* —4E **2**
Prospect Clo. *Hat P* —2J **7**
Provident Sq. *Chelm* —3C **10**
Prykes Dri. *Chelm* —3K **9**
Pryor Clo. *Wthm* —5D **22**
Pryors Rd. *Gall* —4C **16**
Pump Hill. *Chelm* —7F **11**
Pump La. *Dan* —1F **19**
Pump La. *Spri* —4K **5**
Purbeck Ct. *Chelm* —7E **10**
Purcell Cole. *Writ* —4E **8**
Pygot Pl. *Brain* —3E **2**
Pyms Rd. *Chelm* —3B **16**
Pynchon M. *Chelm* —2D **10**
Pyne Ga. *Gall* —5B **16**

Quayside Pk. *Mal* —3J **21**
Queenborough La. *Brain* —6A **2**
    (in two parts)
Queen's Av. *Mal* —6H **21**
Queensland Cres. *Chelm* —7C **4**
Queens Rd. *Brain* —2F **3**
Queen's Rd. *Chelm* —3D **10**
Queen St. *Chelm* —4A **10**
Queen St. *Cogg* —2H **23**
Queen St. *Mal* —5H **21**
Quilp Dri. *Chelm* —5E **4**
Quinion Clo. *Chelm* —5C **4**
Quorn, The. *Ing* —5B **20**

Rachael Ct. *Chelm* —4B **10**
    (off Hall St.)
Rachel Cotts. *Mal* —6J **21**
Railway St. *Chelm* —2A **10**
Railway St. *Brain* —4G **3**
Railway St. *Chelm* —2A **10**
Rainbow Mead. *Hat P* —1J **7**
Rainbow M. *H'bri* —2G **21**
Rainsford Av. *Chelm* —2K **9**
Rainsford La. *Chelm* —3K **9**
Rainsford Rd. *Chelm* —2K **9**
Ramsey Clo. *H'bri* —3K **21**
Ramshaw Dri. *Chelm* —2F **11**
Rana Ct. *Brain* —3F **3**
Rana Dri. *Brain* —3F **3**
Randolph Clo. *Mal* —7G **21**
Randulph Ter. *Chelm* —2D **10**
Ransomes Way. *Chelm* —1B **10**
Ranulph Way. *Hat P* —2K **7**
Raphael Dri. *Chelm* —5A **6**
Ravensbourne Dri. *Chelm* —4J **9**
Rayleigh Clo. *Brain* —3J **3**
Rayne Rd. *Brain* —5A **2**
Ray, The. *Chelm* —7K **5**
Readers Ct. *Chelm* —7E **10**
Rectory Chase. *S'don* —7J **11**
Rectory Clo. *Ing* —3C **20**
Rectory La. *Chelm* —7E **10**
Rectory Rd. *Writ* —5F **9**
Redcliffe Rd. *Chelm* —4A **10**
Redgates Pl. *Chelm* —1D **10**
Redmaynes Dri. *Chelm* —5K **9**
Redruth Clo. *Chelm* —7K **5**
Redshank Dri. *H'bri* —2K **21**
Redwood Clo. *Wthm* —1D **22**
Redwood Dri. *Writ* —4D **8**
Regal Clo. *Chelm* —5D **10**
Regency Clo. *Chelm* —2D **10**
Regency Ct. *H'bri* —2H **21**
Regina Rd. *Chelm* —2C **10**
Rembrandt Gro. *Chelm* —6K **5**
Remembrance Av. *Hat P* —2J **7**
Rennie Rd. *Chelm* —4D **10**
Renoir Pl. *Chelm* —5A **6**
Retreat, The. *Wthm* —5D **22**
Reynards Ct. *Chelm* —7F **11**
Richardson Pl. *Chelm* —2K **9**
Richardson Wlk. *Wthm* —4E **22**
    (off Oliver Pl.)
Richmond Rd. *Chelm* —1G **11**
Rickstones Rd. *Wthm* —2C **22**
Ridderford Dri. *Chelm* —1K **9**
Ridge, The. *L Bad* —2G **13**
Ridgeway. *Ing* —6B **20**
Ridgeway. *Mal* —7H **21**
Ridgeway, The. *Brain* —6G **3**
Ridgewell Av. *Chelm* —1K **9**
Ridings, The. *Chelm* —6D **10**
Ridley Rd. *Chelm* —4G **5**
Riffhams Chase. *L Bad* —4E **12**
Riffhams Dri. *Gt Bad* —6G **11**
Riffhams La. *Dan* —5E **12**
Rifle Hill. *Brain* —6F **3**
Rignals La. *Chelm* —4C **16**
River Cotts. *Bore* —4G **7**
River Mead. *Brain* —2G **3**
Rivermead Ind. Est. *Chelm* —1B **10**
Riverside. *Chelm* —2C **10**
Riverside Ind. Est. *Mal* —4G **21**
Riverside Pk. Retail Est. *Chelm*
    —2C **10**
Riverside Way. *K'dn* —7K **23**
River Vw. *Brain* —6E **2**
    (in two parts)

River Vw. *Wthm* —6D **22**
Roberts Ct. *Gt Bad* —6F **11**
Robinsbridge Rd. *Cogg* —2G **23**
Robin Way. *Chelm* —1A **16**
Robjohns Rd. *Chelm* —6J **9**
Rochester Clo. *Brain* —3K **3**
Rochford Rd. *Chelm* —4C **10**
    (in two parts)
Rodney Gdns. *Brain* —3J **3**
Rodney Way. *Chelm* —6J **9**
Rolands Clo. *Broom* —5G **5**
Rollestons. *Writ* —5D **8**
Rolley La. *K'dn* —7G **23**
Roman Ct. *Brain* —6J **3**
Roman Rd. *Chelm* —4B **10**
Roman Rd. *Ing* —5A **20**
Roman Rd. *Marg* —7C **14**
Roman Rd. *Mount* —6A **20**
Romans Pl. *Writ* —4F **9**
Romans Way. *Writ* —4F **9**
Romney Clo. *Brain* —1E **2**
Rookery Clo. *Hat P* —1J **7**
Roothings, The. *H'bri* —2J **21**
Roper's Chase. *Writ* —6D **8**
Rope Wlk. *Mal* —6H **21**
Rosebay Clo. *Wthm* —3A **22**
Rosebery Rd. *Chelm* —5B **10**
Rose Glen. *Chelm* —6C **10**
Rose Hill. *Chelm* —5G **3**
Rosemary Av. *Brain* —3E **2**
Roslings Clo. *Chelm* —6C **4**
Rossendale. *Chelm* —4J **9**
Rothbury Rd. *Chelm* —4H **9**
Rothesay Av. *Chelm* —5A **10**
Rothmans Av. *Chelm* —7E **10**
Roughtons. *Chelm* —3C **16**
Rous Chase. *Gall* —5B **16**
Rowan Dri. *H'bri* —2K **21**
Rowan Way. *Hat P* —2J **7**
Rowan Way. *Wthm* —1D **22**
Roxwell Av. *Chelm* —2H **9**
Roxwell Rd. *Chelm* —1C **8**
Royal Ct. *Mal* —6H **21**
Rubens Ga. *Chelm* —5A **6**
Rumseys Fields. *Dan* —6H **13**
Running Mare La. *Chelm* —3A **16**
Runsell Clo. *Dan* —6H **13**
Runsell La. *Dan* —5G **13**
Runsell Vw. *Dan* —5J **13**
Rurik Ct. *Mal* —7G **21**
Rushleydale. *Chelm* —7K **5**
Ruskin Rd. *Chelm* —3E **10**
Ruskins, The. *Rayne* —6A **2**
Russell Gdns. *Chelm* —2A **16**
Russell Way. *Chelm* —6J **9**
Russet Clo. *Brain* —6G **3**
Russets. *Chelm* —3D **16**
Rutherford St. *Broom* —3G **5**
Rutland Gdns. *Brain* —3G **3**
Rutland Rd. *Chelm* —6F **5**
Rydal Way. *Brain* —2B **2**
Rye Clo. *Hat P* —2J **7**
Rye Field, The. *L Bad* —2F **13**
Rye Mill La. *Fee* —5H **23**
Rye Wlk. *Ing* —5B **20**
Ryle, The. *Writ* —5E **8**
Rysley. *L Bad* —1F **13**

Sackville Clo. *Chelm* —2J **9**
Saddle Ri. *Chelm* —4K **5**
St Andrews Rd. *Bore* —3G **7**
St Andrew's Rd. *Hat P* —1J **7**
St Annes Clo. *Cogg* —2J **23**
St Ann's Ct. *Chelm* —2C **10**
    (off St Ann's Pl.)
St Ann's Pl. *Chelm* —2C **10**
St Anthony's Dri. *Chelm* —7C **10**
St Catherine's Rd. *Chelm* —3J **9**
St Cleres Way. *Dan* —7F **13**
St Fabian's Dri. *Chelm* —1J **9**
St Giles Clo. *Mal* —5F **21**
St Giles Cres. *Mal* —5F **21**
St James Pk. *Chelm* —1H **9**
St James Rd. *Brain* —2F **3**
St John Av. *Brain* —5F **3**
St John's Av. *Chelm* —5B **10**
St John's Grn. *Writ* —4F **9**
St John's Rd. *Chelm* —4B **10**

St John's Rd. *Writ* —4F **9**
St Lawrence Ct. *Brain* —4F **3**
St Margaret's Rd. *Chelm* —2E **10**
St Marys Clo. *Gt Bad* —7F **11**
St Mary's La. *Mal* —5J **21**
St Mary's Mead. *Broom* —3F **5**
St Mary's Rd. *Brain* —4H **3**
St Mary's Rd. *K'dn* —7G **23**
St Mary's Sq. *K'dn* —7J **23**
St Michael's La. *Brain* —5F **3**
St Michael's Rd. *Brain* —5F **3**
St Michael's Rd. *Chelm* —5B **10**
St Michael's Wlk. *Chelm* —4C **16**
St Mildreds Rd. *Chelm* —5B **10**
St Nazaire Rd. *Chelm* —6D **4**
St Nicholas Clo. *Wthm* —2C **22**
St Nicholas Rd. *Wthm* —2C **22**
St Nicholas Way. *Cogg* —1H **23**
St Peter's Av. *Mal* —5G **21**
St Peter's Clo. *Brain* —4F **3**
St Peter's-in-the Fields. *Brain* —3F **3**
St Peter's Rd. *Brain* —3F **3**
St Peter's Rd. *Chelm* —3J **9**
St Peter's Rd. *Cogg* —1J **23**
St Peter's Wlk. *Brain* —4F **3**
St Peter's Way. *E Han* —7E **18**
St Peter's Way. *Stock* —7F **15**
St Vincent Chase. *Brain* —2H **3**
St Vincents Rd. *Chelm* —5B **10**
Salcombe Rd. *Brain* —6J **3**
Salcott Creek Ct. *Brain* —6J **3**
Salerno Way. *Chelm* —6D **4**
Salter Pl. *Chelm* —3F **11**
Samphire Clo. *Wthm* —3A **22**
Samuel Mnr. *Chel V* —2F **11**
Sanderling Gdns. *H'bri* —2K **21**
Sandford Mill Rd. *Chelm* —3F **11**
(in three parts)
Sandford Rd. *Chelm* —2D **10**
Sandon Hall Bridleway. *H Grn* —3K **17**
Sandpiper Clo. *H'bri* —2K **21**
Sandpiper Wlk. *Chelm* —7C **10**
Sandpit La. *Brain* —4F **3**
Sandringham Pl. *Chelm* —3C **10**
Sandwich Clo. *Brain* —1E **2**
Sassoon Way. *Mal* —6H **21**
Saul's Av. *Wthm* —7D **22**
Sauls Bri. Clo. *Wthm* —6E **22**
Saunders Av. *Brain* —4E **2**
Savernake Rd. *Chelm* —4J **9**
Sawkins Av. *Chelm* —7D **10**
Sawkins Clo. *Chelm* —7D **10**
Sawkins Gdns. *Chelm* —7D **10**
Sawney Brook. *Writ* —4E **8**
Saxon Bank. *Brain* —5H **3**
Saxon Dri. *Wthm* —3B **22**
Saxon Way. *Broom* —5G **5**
Saxon Way. *Mal* —6J **21**
Saywell Brook. *Chelm* —3G **11**
Scarletts Clo. *Wthm* —7D **22**
School La. *Broom* —4E **4**
School M. *Cogg* —2G **23**
School Vw. Rd. *Chelm* —2K **9**
School Wlk. *Brain* —4F **3**
Scott Clo. *Brain* —7G **3**
Scotts Wlk. *Chelm* —7C **4**
Scraley Rd. *Mal* —1K **21**
Scylla Clo. *Mal* —1K **21**
Seabrook Gdns. *Bore* —3G **7**
Seabrook Rd. *Gt Bad* —7G **11**
Second Av. *Chelm* —7F **5**
Sedgefield Way. *Brain* —6H **3**
Seven Ash Grn. *Chelm* —7H **5**
Seventh Av. *Chelm* —6G **5**
Seymour St. *Chelm* —3A **10**
Shakespeare Clo. *Brain* —7G **3**
Shakespeare Dri. *Mal* —7H **21**
Shakeston Clo. *Writ* —5F **9**
Shalford Lodge. *Broom* —4G **5**
Shalford Rd. *Rayne* —4A **2**
Sharpington Clo. *Chelm* —3C **16**
Shaw Rd. *Wthm* —1C **22**
Shearers Way. *Bore* —3G **7**
Shellduck Cres. *Bla N* —3B **2**
Shelley Clo. *Mal* —7H **21**
Shelley Rd. *Chelm* —3D **10**
Shelley Wlk. *Brain* —7G **3**
Sheppard Dri. *Chelm* —1G **11**
Sherborne Rd. *Chelm* —7J **5**
Sherringham Grn. *Chelm* —1G **11**
Sherwood Dri. *Chelm* —4H **9**
Sherwood Way. *Fee* —5H **23**
Shire Clo. *Chelm* —5A **6**
Shortridge Ct. *Wthm* —6C **22**
Shropshire Clo. *Gt Bad* —1F **17**
Shrubberies, The. *Writ* —5D **8**
Shrublands Clo. *Chelm* —3C **10**
Sidmouth Rd. *Chelm* —6K **5**
Silks Way. *Brain* —5F **3**
Silver St. *Mal* —4G **21**
Simmonds Way. *Dan* —5H **13**
Siward Rd. *Wthm* —6A **22**
Six Bells Ct. *Brain* —2F **3**
Sixth Av. *Chelm* —6G **5**
Skerry Ri. *Chelm* —5G **5**
Skiddaw Clo. *Brain* —1C **2**
Skinner's La. *Chelm* —3B **16**
Skitts Hill. *Brain* —6G **3**
Skreens Ct. *Chelm* —1H **9**
Skylark Wlk. *Chelm* —1B **16**
Slade's La. *Chelm* —3A **16**
Slough Ho. Clo. *Brain* —6K **3**
Slough Rd. *Dan* —4K **19**
Smithers Dri. *Chelm* —7G **11**
Smiths Fld. *Brain* —5A **2**
Snelling Gro. *Chelm* —7F **11**
Snowberry Ct. *Brain* —3K **3**
Snowdrop Clo. *Chelm* —5K **5**
Snowdrop Pl. *Wthm* —2B **22**
Somerset Pl. *Chelm* —5F **5**
Southborough Rd. *Chelm* —5A **10**
Southcote Dri. *Wthm* —2C **22**
South Ct. *Ing* —4D **20**
Southend Rd. *H Grn* —3J **17**
Southend Rd. *Wdhm M* —1K **19**
Southey Clo. *H'bri* —3K **21**
S. Hill Clo. *Dan* —7F **13**
South Ho. Chase. *Mal* —7K **21**
S. Primrose Hill. *Chelm* —2K **9**
South St. *Brain* —5F **3**
Southview Rd. *Dan* —7F **13**
Southwood Chase. *Dan* —2J **19**
Sovereign Clo. *Brain* —3K **3**
Sowerberry Clo. *Chelm* —5E **4**
Spalding Av. *Chelm* —7D **4**
Spalding Clo. *Brain* —3E **2**
Spalding Way. *Chelm* —5F **11**
Sparkey Clo. *Wthm* —7D **22**
Spa Rd. *Fee* —6J **23**
Speckled Wood Ct. *Brain* —7E **2**
Speedwell Clo. *Wthm* —3A **22**
Spencer Clo. *Mal* —7H **21**
Spenlow Dri. *Chelm* —5C **4**
Spinks La. *Wthm* —5B **22**
Spinney, The. *Brain* —6J **3**
Spires, The. *Gt Bad* —7F **11**
Spital Rd. *Mal* —6F **21**
Sporeham La. *S'don* —2B **18**
Spots Wlk. *Chelm* —3D **16**
Spread Eagle Pl. *Ing* —3D **20**
Spring Clo. *L Bad* —7K **7**
Spring Elms La. *L Bad* —2G **13**
Springfield Cotts. *H'bri* —2H **21**
Springfield Grn. *Chelm* —1D **10**
Springfield Hall La. *Chelm* —6H **5**
(in two parts)
Springfield Pk. Av. *Chelm* —3D **10**
Springfield Pk. Hill. *Chelm* —3D **10**
Springfield Pk. La. *Chelm* —2E **10**
Springfield Pk. Rd. *Chelm* —3D **10**
Springfield Pl. *Chelm* —7J **5**
Springfield Rd. *Chelm* —3C **10**
(in two parts)
Spring La. *Gt Tot* —3J **21**
Springmead. *Brain* —1C **2**
Springpond Clo. *Chelm* —5E **10**
Spring Ri. *Chelm* —4C **16**
Springwood Ct. *Brain* —4D **2**
Springwood Dri. *Brain* —3C **2**
Springwood Ind. Est. *Brain* —4C **2**
Spruce Clo. *Wthm* —2D **22**
Spurgeon Pl. *K'dn* —7G **23**
Square, The. *H'bri* —2H **21**
Square, The. *Marg* —6E **14**
Squirrells Ct. *Chelm* —7E **4**
Stablecroft. *Chelm* —4K **5**
Stafford Cres. *Brain* —3K **3**
Stanes Rd. *Brain* —1F **3**
Stanley Ri. *Chel V* —2F **11**
Stansted Clo. *Chelm* —4J **9**
Stanstrete Fld. *Bla N* —3A **2**
Stapleford Clo. *Chelm* —4A **10**
Star La. *Ing* —3D **20**
Stathers Cres. *Chelm* —3E **10**
Station App. *Brain* —5G **3**
Station La. *Ing* —4C **20**
Station Rd. *Brain* —5F **3**
Station Rd. *Hat P* —1H **7**
Station Rd. *K'dn* —6G **23**
Station Rd. *Mal* —4H **21**
Station Rd. *Wthm* —3D **22**
Steamer Ter. *Chelm* —2A **10**
Steen Clo. *Ing* —3C **20**
Steeple Clo. *H'bri* —3K **21**
Steerforth Clo. *Chelm* —5C **4**
Stepfield. *Wthm* —4E **22**
Stephenson Rd. *Brain* —6G **3**
Stevens Rd. *Wthm* —5B **22**
Stevens Wlk. *Chelm* —1B **16**
Stewart Rd. *Chelm* —7A **10**
Stirrup Clo. *Chelm* —5K **5**
Stock Chase. *Mal* —2J **21**
Stock Farm La. *Brain* —6A **2**
Stock La. *Ing* —3D **20**
Stock Rd. *Gall* —3A **16**
Stock Ter. *Mal* —2J **21**
Stonebridge Wlk. *Chelm* —3B **10**
Stoneham St. *Cogg* —2G **23**
(in two parts)
Stone Path Dri. *Hat P* —1H **7**
Stour Ct. *Brain* —7K **3**
Stourton Rd. *Wthm* —3B **22**
Strawberry Clo. *Brain* —6G **3**
Street Ind. Est., The. *H'bri* —2J **21**
Street, The. *Gall* —4B **16**
Street, The. *Hat P* —1H **7**
Street, The. *Rayne* —5A **2**
Strudwick Clo. *Brain* —5F **3**
Strutt Clo. *Hat P* —1J **7**
Stuart Clo. *Chelm* —7H **11**
Stuarts Way. *Brain* —5H **3**
Stubbs La. *Brain* —5J **3**
Stump La. *Chelm* —1D **10**
Suffolk Dri. *Chelm* —1G **11**
Suffolk Rd. *Mal* —6F **21**
Summer Fields. *Ing* —4D **20**
Sunbury Way. *Mal* —7G **21**
Sunflower Clo. *Chelm* —6A **6**
Sunningdale Fall. *Hat P* —1K **7**
Sunningdale Rd. *Chelm* —1J **9**
Sunnyside. *Brain* —4E **2**
Sunnyway. *Dan* —3G **19**
Sunrise Av. *Chelm* —7F **5**
Sussex Clo. *Bore* —4G **7**
Sutherland Ho. *Chelm* —1A **10**
Sutor Clo. *Wthm* —5B **22**
Sutton Mead. *Chelm* —1G **11**
Swallow Path. *Chelm* —2B **16**
Swan Clo. *Hat P* —1H **7**
Swan Ct. *H'bri* —3J **21**
Swan La. *Stock* —7G **15**
Swan Side. *Brain* —4F **3**
Swan St. *K'dn* —6H **23**
Swan Yd. *Cogg* —2H **23**
Swift Clo. *Brain* —7G **3**
Swinbourne Dri. *Brain* —4D **2**
Swiss Av. *Chelm* —1K **9**
Sycamore Clo. *Wthm* —1D **22**
Sycamore Gro. *Brain* —5D **2**
Sycamore Rd. *H'bri* —1J **21**
Sycamore Way. *Chelm* —7C **10**
Sydner Clo. *Chelm* —1G **17**
Sylvan Clo. *Chelm* —7B **10**
Symmons Clo. *Rayne* —6A **2**

Taber Pl. *Wthm* —3E **22**
Tabor Av. *Brain* —4E **2**
Tabors Av. *Chelm* —5F **11**
Tabor's Hill. *Gt Bad* —6F **11**
Tamar Av. *Wthm* —4B **22**
Tamar Ri. *Chelm* —6H **5**
Tamdown Way. *Brain* —3C **2**
Tanners Mdw. *Brain* —5K **3**
Tapestry Way. *Brain* —5K **3**
Tapley Rd. *Chelm* —6E **4**
Tasman Ct. *Chelm* —7D **4**
Tattersall Way. *Chelm* —6J **9**
Taunton Rd. *Chelm* —7K **5**
Taverners Wlk. *Wthm* —2C **22**
Tavistock Rd. *Chelm* —7K **5**
Taylor Av. *Chelm* —7D **4**
Teak Wlk. *Wthm* —2D **22**
Teal Clo. *Bla N* —3A **2**
Teal Way. *K'dn* —7H **23**
Tees Clo. *Wthm* —4B **22**
Tees Rd. *Chelm* —6H **5**
Teign Dri. *Wthm* —4A **22**
Telford Rd. *Brain* —6G **3**
Templar Rd. *Brain* —5K **3**
Templars Clo. *Wthm* —2C **22**
Temple Farm Trad. Est. *W Han* —7B **16**
Temple Gro. Cvn. Pk. *W Han* —7C **16**
Templemead. *Wthm* —3C **22**
Templeton Cvn. Pk. *W Han* —7B **16**
Ten Acre App. *H'bri* —2G **21**
Tennyson Clo. *Brain* —7F **3**
Tennyson Rd. *Chelm* —7E **4**
Tennyson Rd. *Mal* —7H **21**
Tenterfield Rd. *Mal* —5H **21**
Terling Rd. *Wthm* —3A **22**
Tern Clo. *K'dn* —6H **23**
Tey Rd. *Cogg* —1J **23**
Thackeray Clo. *Brain* —7G **3**
Thames Av. *Chelm* —7B **4**
Thames Clo. *Brain* —6K **3**
Thetford Ct. *Chelm* —4J **9**
Third Av. *Chelm* —7F **5**
Thirlmere Clo. *Brain* —1C **2**
Thirslet Dri. *H'bri* —3K **21**
Thistley Grn. Rd. *Brain* —1H **3**
(in two parts)
Thomas Clo. *Chel V* —2F **11**
Thorne Rd. *K'dn* —7F **23**
Threadneedle St. *Chelm* —3B **10**
Three Mile Hill. *Ing* —4F **15**
Threshelfords Bus. Pk. *K'dn* —5J **23**
Thrift Wood. *Bick* —5G **19**
Thyme M. *Wthm* —3B **22**
Tiberius Gdns. *Wthm* —6B **22**
Tideswell Clo. *Brain* —3K **3**
Tideway. *Mal* —7J **21**
Tilkey Rd. *Cogg* —1G **23**
Timber Clo. *Bla N* —1A **2**
Timsons La. *Chelm* —1E **10**
Tindal Sq. *Chelm* —3B **10**
Tindal St. *Chelm* —3B **10**
Tintagel Way. *Mal* —7F **21**
Tithe Clo. *Wthm* —3B **22**
Tobruk Rd. *Chelm* —6E **4**
Tofts Chase. *L Bad* —1F **13**
Tor Bryan *Ing* —5B **20**
Torquay Rd. *Chelm* —7J **5**
Torrington Clo. *Chelm* —7K **5**
Tortoiseshell Way. *Brain* —7E **2**
Torver Clo. *Brain* —2B **2**
Totnes Wlk. *Chelm* —6K **5**
Toulmin Rd. *Hat P* —1J **7**
Tower Av. *Chelm* —2K **9**
Tower Rd. *Writ* —4D **8**
Towers Rd. *Mal* —2K **21**
Town Cft. *Chelm* —7F **5**
Town End Fld. *Wthm* —6B **22**
Townfield St. *Chelm* —2B **10**
Traddles Ct. *Chelm* —6E **4**
Trafalgar Ct. *Brain* —3H **3**
Trafalgar Way. *Brain* —3H **3**
Trenchard Cres. *Chelm* —5J **5**
Trenchard Lodge. *Chelm* —5J **5**
Trent Rd. *Chelm* —7B **4**
Trent Rd. *Wthm* —4B **22**
Trews Gdns. *K'dn* —6G **23**
Trigg La. *Dan* —6H **13**
Trimble Clo. *Ing* —3C **20**
Trinity Clo. *Chelm* —2D **10**
Trinity Rd. *Chelm* —3D **10**
Trotters Fld. *Brain* —4H **3**
Trotwood Clo. *Chelm* —5D **4**
Trueloves La. *Ing* —5A **20**
Tucker Dri. *Wthm* —6C **22**
Tucknott Gro. *Writ* —5F **9**
Tudor Av. *Chelm* —2A **10**
Tudor Clo. *Ing* —5B **20**

Tudor Clo. *Wthm* —6C **22**
Tufted Clo. *Bla N* —3B **2**
Tugby Pl. *Chelm* —6D **4**
Tulip Clo. *Chelm* —5K **5**
Tupman Clo. *Chelm* —6C **4**
Turkey Oaks. *Chelm* —2C **10**
Turstan Rd. *Wthm* —6B **22**
Tusser Ct. *Chelm* —5D **10**
Twelve Acres. *Brain* —4K **3**
Twin Oaks. *Chelm* —1G **11**
Twitten La. *Chelm* —4B **16**
Twitty Fee. *Dan* —4J **13**
(in two parts)
Tye, The. *E Han* —7E **18**
Tye, The. *Marg* —7G **15**
Tylers Clo. *Chelm* —7B **10**
Tyndales La. *Dan* —1K **19**
Tyne Way. *Chelm* —7C **4**
Tyrells Clo. *Chelm* —1E **10**
Tyrells Way. *Gt Bad* —6F **11**
Tyssen Mead. *Bore* —4F **7**
Tythe Clo. *Chelm* —4K **5**

Ullswater Clo. *Brain* —2B **2**
Ulting Rd. *Hat P* —2K **7**
Uplands Dri. *Chelm* —5J **5**
Upper Acres. *Wthm* —1C **22**
Up. Bridge Rd. *Chelm* —5A **10**
Up. Chase. *Chelm* —5A **10**
Up. Roman Rd. *Chelm* —4B **10**

Vale End. *Chelm* —3C **16**
Valentine Ct. *Brain* —3E **2**
Valletta Clo. *Chelm* —2A **10**
Valley Bri. *Broom* —6G **5**
Valley Rd. *Brain* —3G **3**
Van Dieman's La. *Chelm* —5C **10**
Van Dieman's Rd. *Chelm* —5C **10**
Vane Ct. *Wthm* —1D **22**
Vane La. *Cogg* —2H **23**
Vanguard Way. *Brain* —3H **3**
Varden Clo. *Chelm* —6E **4**
Vaughan Clo. *Rayne* —5A **2**
Vauxhall Dri. *Brain* —5D **2**
Vellacotts. *Chelm* —5G **5**
Vermeer Ride. *Chelm* —5A **6**
Vernon Way. *Brain* —3J **3**
Vesta Clo. *Cogg* —2G **23**
Viaduct Rd. *Chelm* —3A **10**
Viborg Gdns. *Mal* —7F **21**
Vicarage Cres. *Hat P* —1K **7**
Vicarage La. *Gt Bad* —3F **17**
Vicarage M. *Gt Bad* —7F **11**
Vicarage Rd. *Chelm* —6A **10**
Vicarage Rd. *Rox* —1A **8**
Victoria Ct. *Mal* —5J **21**
Victoria Cres. *Chelm* —2B **10**
Victoria Rd. *Chelm* —2B **10**
(in two parts)
Victoria Rd. *Mal* —4H **21**
Victoria Rd. *Writ* —4C **8**
Victoria Rd. S. *Chelm* —3B **10**
Victoria St. *Brain* —5F **3**
Victory Gdns. *Brain* —3H **3**
Viking Rd. *Mal* —7F **21**
Village Ga. *Chelm* —2G **11**
Village Sq. *Chel V* —2G **11**
Villiers Pl. *Bore* —4F **7**
Vineyards, The. *Gt Bad* —6F **11**
Violet Clo. *Chelm* —5K **5**
Virgil Rd. *Wthm* —1C **22**
Virley Clo. *H'bri* —3K **21**
Volwycke Av. *Mal* —7G **21**

Wadey Grn. *Chelm* —1G **11**
Wadham Clo. *Ing* —3C **20**
Wagtail Dri. *H'bri* —2K **21**
Wagtail Pl. *K'dn* —7G **23**
Wakelin Chase. *Ing* —4B **20**
Wakelin Way. *Wthm* —4E **22**
Walford Pl. *Chelm* —3F **11**
Walford Way. *Cogg* —2H **23**
Walkers Clo. *Chelm* —5J **5**
Wallace Binder Clo. *Mal* —6G **21**
Wallace Cres. *Chelm* —5C **10**
Wallasea Gdns. *Chelm* —7A **6**
Wall Ct. *Brain* —7E **2**
Wallflower Ct. *Chelm* —7A **6**
Walnut Dri. *Wthm* —2D **22**
Walnut Gro. *Brain* —5E **2**
Walters Clo. *Chelm* —3C **16**
Waltham Glen. *Chelm* —6C **10**
Waltham Rd. *Bore* —1G **7**
Wantz Chase. *Mal* —5H **21**
Wantz Haven. *Mal* —5H **21**
Wantz Rd. *Mal* —5H **21**
Wantz Rd. *Marg* —5D **14**
Wardle Way. *Broom* —5D **4**
Warley Clo. *Brain* —3J **3**
Warner Dri. *Brain* —3C **2**
Warren Clo. *Broom* —1G **5**
Warren Rd. *Brain* —5J **3**
Warrenside. *Brain* —7G **3**
Warwick Clo. *Brain* —3G **3**
Warwick Clo. *Mal* —6H **21**
Warwick Cres. *Mal* —6H **21**
Warwick Dri. *Mal* —6H **21**
Warwick Sq. *Chelm* —1K **9**
Washington Clo. *Mal* —6F **21**
Washington Rd. *Mal* —6F **21**
Watchouse Rd. *Chelm* —4B **16**
Waterhouse La. *Chelm* —4J **9**
Waterhouse St. *Chelm* —5K **9**
Waterloo La. *Chelm* —3B **10**
Watermill Rd. *Fee* —5J **23**
Wavell Clo. *Spri* —4J **5**
Waveney Dri. *Chelm* —6H **5**
Waverley Bri. Ct. *H'bri* —3J **21**
Wayside. *L Bad* —5G **13**
Wear Dri. *Chelm* —6J **5**
(in two parts)
Weavers Clo. *Brain* —4F **3**
Weight Rd. *Chelm* —3C **10**
Welland Av. *Chelm* —7B **4**
Weller Gro. *Chelm* —5D **4**
Well Fld. *Writ* —4E **8**
Wellington Clo. *Brain* —3J **3**
Wellington Clo. *Chelm* —7C **4**
Wellington Rd. *Mal* —5G **21**
Well La. *Dan* —7E **12**
Well La. *Gall* —4B **16**
Wellmeads. *Chelm* —5B **10**
Wells Ct. *Chelm* —7J **5**
Wells St. *Chelm* —2A **10**
Well Ter. *H'bri* —3J **21**
Wentworth Clo. *Hat P* —1K **7**
Wentworth Cres. *Brain* —2F **3**
Wentworth Meadows. *Mal* —5G **21**
West Av. *Chelm* —7E **4**
W. Belvedere. *Dan* —6H **13**
Westbourne Gro. *Chelm* —6D **10**
W. Bowers Rd. *Wdhm W* —1K **13**
W. Chase. *Mal* —4G **21**
West Ct. *Ing* —4C **20**
Westerdale. *Chelm* —5J **5**
Westergreen Mdw. *Brain* —6E **2**
Westerings. *Bick* —4H **19**
Westerings, The. *Gt Bad* —1F **17**
Westfield Av. *Chelm* —1A **10**
Westfield Dri. *Cogg* —1H **23**
W. Hanningfield Rd. *W Han* —7E **16**
West Lawn. *Chelm* —4C **16**
Westminster Gdns. *Brain* —3G **3**
West Sq. *Chelm* —3B **10**
West Sq. *Mal* —5G **21**
W. Station Ind. Est. *Mal* —6F **21**
W. Station Yd. *Mal* —6F **21**
West St. *Cogg* —3F **23**
Westway. *Chelm* —6J **9**
Weymouth Rd. *Chelm* —6K **5**
Whadden Chase. *Ing* —4B **20**
Wharfe Clo. *Wthm* —4B **22**
Wharf Rd. *Chelm* —3C **10**
Wheatfield Way. *Chelm* —2K **9**
(in two parts)
Wheatley Av. *Brain* —4J **3**
Wheaton Rd. *Wthm* —4E **22**
Whitebeam Clo. *Chelm* —6K **9**
White Cres. *Gt Bad* —1F **17**
White Elm Rd. *Bick* —4H **19**
Whitehall Ct. *Wthm* —4D **22**
White Hart La. *Chelm* —4K **5**
White Horse La. *Mal* —5G **21**
White Horse La. *Wthm* —3C **22**
Whitehouse Cres. *Chelm* —5D **10**
Whitemead. *Broom* —2G **5**
Whitesbridge La. *Ing* —4H **15**
(in two parts)
Whitethorn Gdns. *Chelm* —6C **10**
White Ways Ct. *Wthm* —3B **22**
Whyverne Clo. *Chelm* —6K **5**
Wickfield Ash. *Chelm* —6C **4**
Wickham Rd. *Wthm* —6C **22**
Wickham's Chase. *Bick* —4K **19**
Wicklow Av. *Chelm* —6C **4**
Wicks Clo. *Brain* —3C **2**
Widford Chase. *Chelm* —6K **9**
Widford Clo. *Chelm* —6K **9**
Widford Gro. *Chelm* —6K **9**
Widford Ind. Est. *Chelm* —6J **9**
Widford Pk. Pl. *Chelm* —6K **9**
Widford Rd. *Chelm* —6K **9**
Widgeon Pl. *K'dn* —7G **23**
Wigeon Clo. *Bla N* —3B **2**
Wilkinsons Mead. *Chelm* —1G **11**
Williams Rd. *Chelm* —3G **5**
Willingale Rd. *Brain* —3K **3**
Willoughby Dri. *Chelm* —3F **11**
Willow Bank. *Chelm* —3B **16**
Willow Clo. *Broom* —3G **5**
Willow Cres. *Hat P* —2J **7**
Willow Grn. *Ing* —3C **20**
Willow Ri. *Wthm* —1D **22**
Willows, The. *Bore* —4F **7**
Willow Wlk. *Mal* —2K **21**
Wilshire Av. *Spri* —2F **11**
Wilsons Ct. *Mal* —5J **21**
Wimsey Ct. *Wthm* —1D **22**
Winchelsea Dri. *Chelm* —6D **10**
Windermere Dri. *Brain* —1B **2**
Windmill Fields. *Cogg* —1G **23**
Windmills, The. *Broom* —1F **5**
Windrush Dri. *Chelm* —6H **5**
Windsor Gdns. *Brain* —3H **3**
Windsor Way. *Chelm* —4J **9**
Wingate Clo. *Brain* —3E **2**
Wingrove Ct. *Chelm* —6F **5**
Winsford Way. *Chelm* —5C **6**
Winston Clo. *Brain* —1E **2**
Wisdoms Grn. *Cogg* —1H **23**
Witham Lodge. *Wthm* —6A **22**
Wolseley Rd. *Chelm* —4A **10**
Wood Dale. *Gt Bad* —7E **10**
Woodfield Cotts. *Mal* —1K **21**
Woodfield Rd. *Brain* —4G **3**
Woodfield Way. *Hat P* —1J **7**
Woodhall Hill. *Chelm* —2B **4**
Woodhall Rd. *Chelm* —5F **5**
Woodham Dri. *Hat P* —1K **7**
Woodhams Rd. *Brain* —5K **3**
Woodhill Rd. *S'don & Dan* —7J **11**
Woodhouse La. *Broom & L Walt* —1F **5**
Woodland Clo. *Hat P* —1J **7**
Woodland Rd. *Chelm* —1A **10**
Woodlands. *Brain* —4H **3**
Woodlands Clo. *Ing* —3D **20**
Wood La. *Mal* —2H **21**
Wood Rd. *H'bri* —1J **21**
Woodroffe Clo. *Chelm* —2G **11**
Woodside. *L Bad* —4G **13**
Wood St. *Chelm* —6K **9**
Wood Way. *Bla N* —2A **2**
Woolpack La. *Brain* —2F **3**
Worcester Clo. *Brain* —6G **3**
Worcester Ct. *Chelm* —1F **17**
Wordsworth Av. *Mal* —7H **21**
Wordsworth Ct. *Chelm* —7F **5**
Wordsworth Rd. *Brain* —1F **3**
Worlds End La. *Fee* —6H **23**
Writtle Rd. *Chelm* —4H **9**
Writtle Rd. *Marg* —5D **14**
Wulvesford. *Wthm* —6A **22**
Wycke Hill. *Mal* —6F **21**
Wykeham Rd. *Writ* —4F **9**

Yare Av. *Wthm* —3A **22**
Yarwood Rd. *Chelm* —3E **10**
Yeldham Lock. *Chelm* —3G **11**
Yew Clo. *Wthm* —1E **22**
Yew Tree Clo. *Hat P* —1J **7**
Yew Tree Gdns. *Chelm* —7C **10**
York Gdns. *Brain* —3H **3**
York Rd. *Chelm* —5A **10**